図解でわかる
14歳から知る
イスラム教

山折哲雄・総監修／私市正年・監修
インフォビジュアル研究所・著

目 次

Part 3 イスラム教徒の暮らしと文化

Part 4 イスラム世界 1400年の歩み

イスラム教はじつは柔軟な宗教
多様性を認めるからこそ世界に広がった

私市正年（上智大学名誉教授）

イスラム教は不思議な宗教です。仏教、キリスト教と並んで世界宗教とされるイスラム教は、暴力的、排他的、後進的といった否定的なイメージがつきまとうのに、今でも信徒を増やし続け、もっとも活力ある宗教だからです。ではこの不思議さはどこからきているのでしょうか。

イスラム教の聖典『コーラン』で強調されていることは、偶像崇拝を排して、人々が唯一神アッラーに服従すること、孤児や飢えに苦しむ者・弱者を保護し、互いに助け合うことです。だからこそ宗教の名前が神への服従を意味する「イスラム」とされ、ラフマ（慈愛）とカラーマ（寛大さ）が訴えられたのです。神への服従は平和（サラーム）を求めるためでした。

「剣かコーランか」という言葉でイスラムの布教を説明することがありますが、これはヨーロッパ人の誤解です。歴史的にイスラム世界の拡大は商人やイスラム神秘主義者たちによる平和的な布教が大きな役割をはたしました。

中世に確立した「六信五行」というイスラム教の基本的定めは、今でも変わりません。そのなかに、断食、1日５回の礼拝、メッカ巡礼などがイスラム教徒の義務行為と定められています。断食は、イスラム暦 9月の1カ月間、日の出から日没まで一切の飲食を断つのですが、イスラム教徒たちは、その日の断食が解除されると喜びにあふれて食卓につきます。夜になると店も開き、街の通りや広場は深夜、大賑わいです。人々は厳しい戒律を楽しんでいるようにみえます。メッカ巡礼も義務行為ですが、お金も体力も必要なので実際に巡礼に出るのは一部の人です。空港に巡礼帰りの人を乗せた飛行機が着くと、迎えにきた家族や親戚は喜色満面の巡礼者を囲んで大騒ぎになります。自宅に戻れば、難行は楽しい宴に変わります。

さらに興味深いのがイスラム教徒の現実主義です。イスラム教徒は、明日の

ことは神が決めることだと考え、「イン・シャー・アッラー」（神が望むならば）という言葉をそえ、昨日のことは、もとに戻らないので悔いても仕方ない、と考えます。彼らは、現在こそが大事なのであり、今日を大いに楽しむ、というきわめて現実主義的考え方をもっています。「イン・シャー・アッラー」は、約束を無視したときの無責任な言い訳ではなく、現実主義の考え方によるものです。

イスラム教のもうひとつの特徴に、ラフマ（慈愛）の教えがあります。この教えは、親切さや優しさに通じ、暴力や戦いに反対する言葉です。欧米の若者たちのなかに、ラフマに惹かれてイスラム教に改宗する人がたくさんいます。イスラム教のメッセージが、暴力を排し、慈愛に満ちた平和な社会の追求であったことは忘れてはならないでしょう。

イスラム教は、「人は弱いもの」という考えから全てを神に委ねています。近代ヨーロッパは、人間中心、人間の理性を中心とする考えから政教分離という思想を生みだしました。イスラム教はこの近代思想に大変苦しみましたが、基本の考え方を変えませんでした。それにもかかわらず、近代以降もイスラム教は世界各地に広がり続けています。今やイスラム教徒人口の多くはインドネシアやパキスタンなどアジアに住んでいます。

ここで最初の問い「イスラム教の不思議さはどこからきているのか」に戻りましょう。イスラム教が暴力や排他性、厳格な戒律を強いる宗教だったら、これほどの人々に受け入れられるはずがありません。トルコやチュニジアでは一夫多妻制が禁止され、飲酒はインドネシアやモロッコでは比較的自由です。女性のヴェール着用は義務ですが、かぶり方は地域ごとに異なります。こうしたことからもイスラム教は、原理・原則と多様性を認める柔軟さとの適度な調和によって発展し、活力を維持してきたといえるでしょう。

Part 1 データで見るイスラム教 1

世界第2の宗教人口 19億人が信じるイスラム教

じつはアジアに多いイスラム教徒

イスラム教を信じる人は、世界に約19億人。なんと世界人口の約4分の1を占めています。日本ではなじみの薄いイスラム教ですが、世界全体ではキリスト教に次い

世界の人の約25%の19億人 4人に1人はイスラム教徒

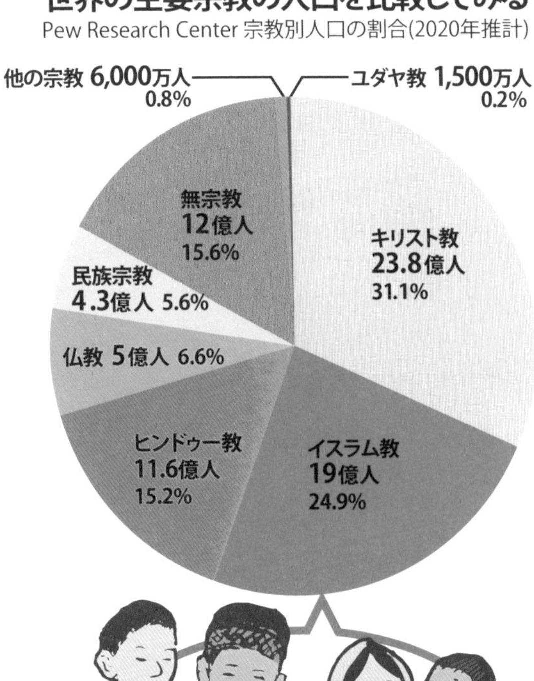

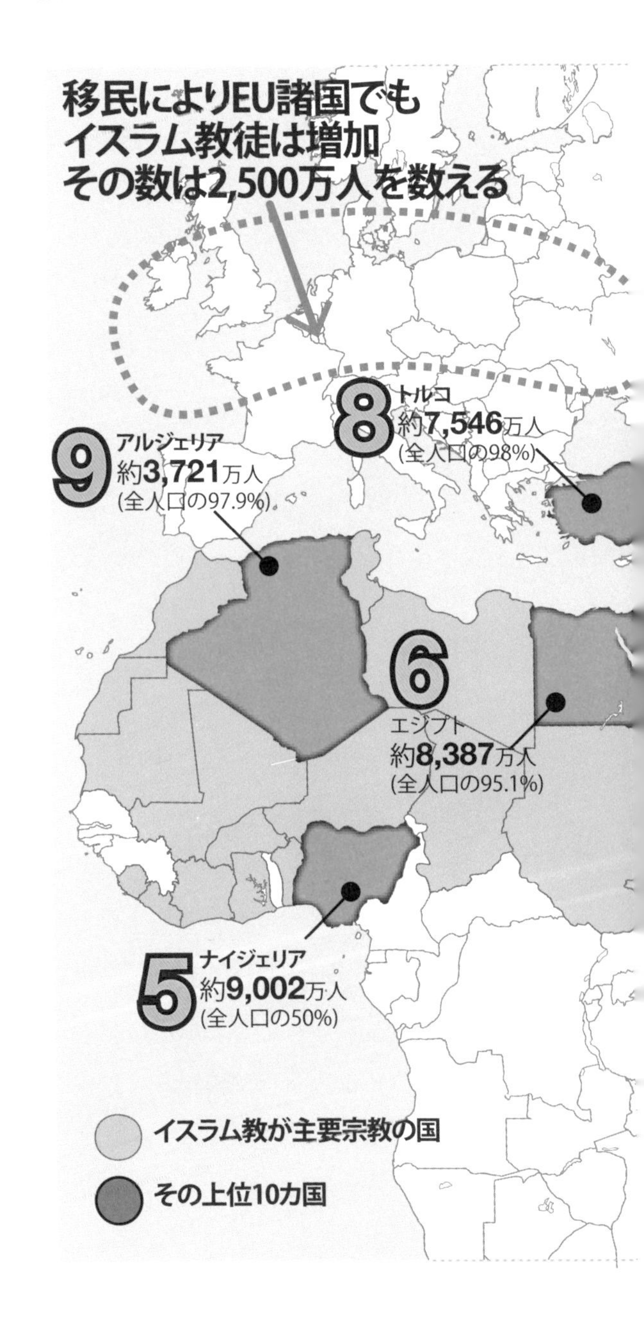

で第２の信者数をもつ一大宗教なのです。

イスラム教はアラビア半島で生まれたため、中東の宗教というイメージが強いのではないでしょうか。事実、サウジアラビア、アラブ首長国連邦、イラン、イラクなど、多くの中東諸国がイスラム教を国教に定めています。

ところがイスラム教徒が世界一多い国は、意外にもインドネシア。次いでインド、パキスタン、バングラデシュ、とアジアの国々が続きます。じつはイスラム教徒の約６割はアジアに住んでいるのです。

また、ナイジェリア、エジプト、アルジェリアなど、アフリカの国々も多くの信者を抱えています。さらにイスラム教徒は、移民としてヨーロッパやアメリカにも渡り、独自のコミュニティを築いています。

このようにイスラム教は、世界中にまんべんなく広がり、国際社会に大きな影響を与えています。

Part 1
データで見る
イスラム教
②

急増するイスラム教徒 21世紀後半には世界最大宗教に!?

出生率が高く若い信者が多い

イスラム教は2050年より後にキリスト教を抜いて、世界最大の信者数を抱える宗教になる。アメリカの調査機関ピュー・リサーチセンターは、そう予測し、理由として次の4つを挙げています。

第一に、ムスリム（イスラム教徒）は子どもを多くもつこと。人口を維持するには、1人の女性が一生のうちに産む子どもの数（合計特殊出生率）が2.1以上必要とされています。この数字がムスリムは3.1。キリスト教徒の2.7を上回っています。

第二に、ムスリムの年齢構成を見ると若

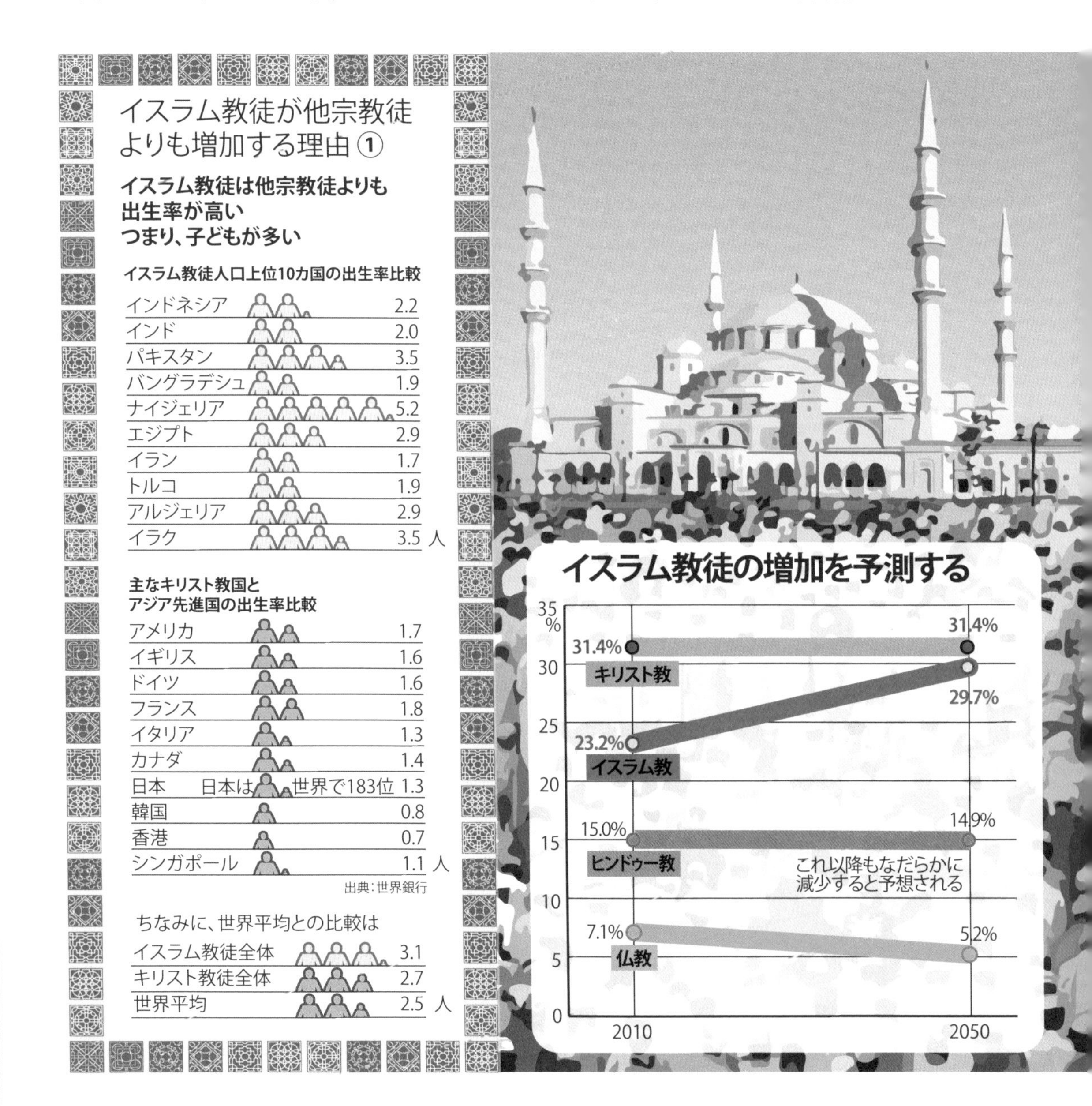

年層が多いこと。キリスト教圏の欧米先進国では少子高齢化が進んでいますが、ムスリムは、これから結婚適齢期を迎える人が多いため、出生率の高さと相まって、ますます子どもが増えていくと予想されています。地域別に見ると、今後、特にムスリムが増えると思われるのは、もともと出生率の高いアフリカです。また、人口増が続くインドは、2060年にはインドネシアを抜き、世界で最もムスリム人口の多い国になると予測されています。

第三の理由は、ムスリムには改宗者が少ないこと。キリスト教や仏教の家庭に生まれても、おとなになると別の宗教を信仰したり、無宗教になったりする人が一定数います。それに対し、イスラム教の家庭に生まれた人は、一生イスラム教の信者であり続けることが多いのです。

そして第四の理由は、イスラム教圏以外の地域、特にヨーロッパでムスリム移民が増えていること。これについては、次のページで詳しく見ていきましょう。

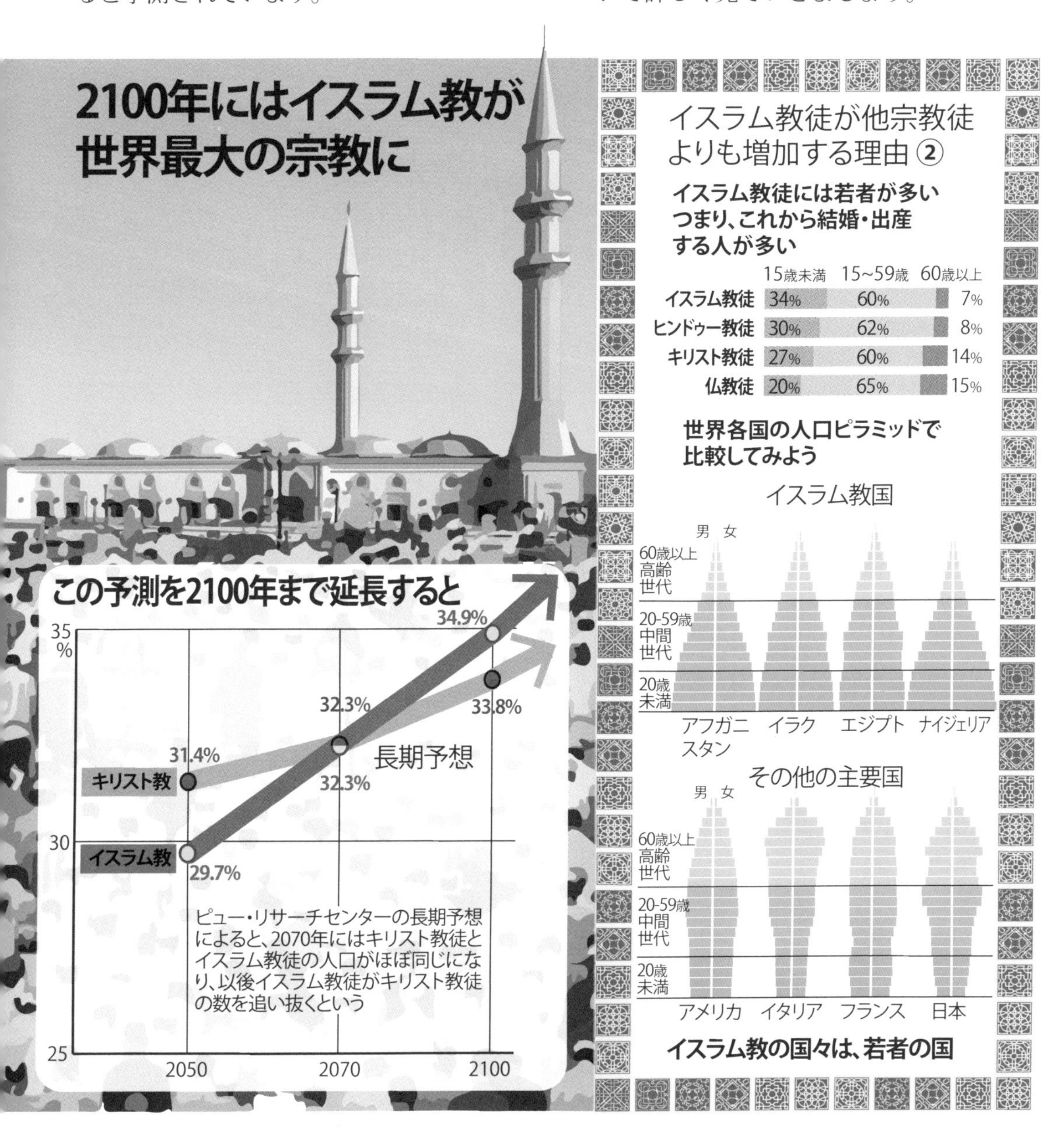

Part 1
データで見る
イスラム教
③

欧州で急増するイスラム系移民 いずれ人口の１割を超える!?

「反イスラム」と「共生」の狭間で

　ヨーロッパに住むムスリムは2500万人以上。欧州人口に占める割合は約5%にすぎませんが、その数は年々増え、2050年には10%前後になると予測されています。

　彼らの大半は、イスラム圏からの移民とその家族です。第二次世界大戦後、深刻な労働者不足に陥ったヨーロッパ諸国は、旧植民地や周辺国から移民を受け入れました。ドイツには主にトルコから、フランスにはアルジェリア、モロッコ、チュニジアなどから、イギリスにはインド、パキスタン、バングラデシュなどから大量の移民が

第二次世界大戦後 イスラム移民・難民の第1弾

イスラム教徒は、ヨーロッパ旧宗主国へ向かう

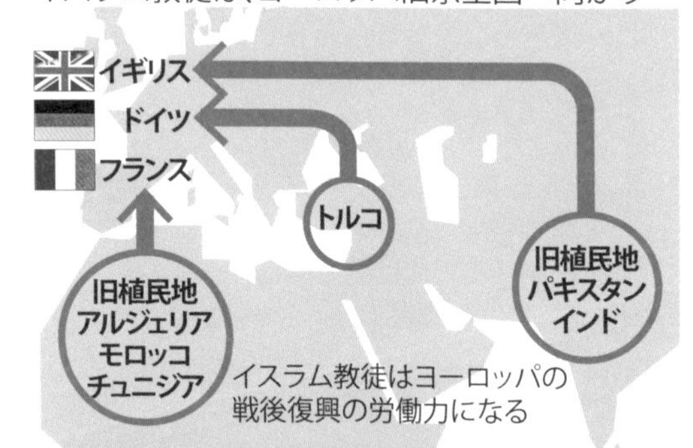

イスラム教徒第１世代は労働者として定住する

イギリス
イギリスの移民政策「多文化主義」によって、移民は都市に集住し強い絆で結びつくコミュニティを形成している。これは逆に移民の隔離であり、イギリス社会の分断の契機になるとの批判もある

フランス
フランスの多民族社会を統合する理念が「ライシテ」＝世俗主義。宗教、人種を超えて「フランス国民」となること。しかし異文化を貫くイスラム教徒の移民の存在は、多くの軋轢を生み出している

ドイツ
ドイツは第二次世界大戦後の復興期に、トルコからの労働移民を大量に受け入れた。その移民の定住に関して一貫して寛容な社会だったが、イスラム社会とドイツ社会との文化軋轢が生じることに

1960~70年代 イスラム移民・難民の第2弾

定住第１世代が家族を呼び寄せる

ヨーロッパ諸国で生活基盤をつくった移民たちは、祖国の家族を呼び寄せた

2015年 イスラム移民・難民の第3弾

イスラム教諸国からの難民がEUになだれこむ

その数200万人

ドイツ・メルケル首相(当時) イスラム移民の受け入れを表明

「ドイツは助けが必要な人を助けます」

しかし、EU諸国では反発する国々も

ハンガリーが国境封鎖
オーストリアも国境封鎖

ソマリア内戦

移民の第2・第3世代が誕生

移民の子として差別される

渡り、戦後復興に貢献。彼らの多くは定住して家族を呼び寄せ、イスラムのコミュニティを形成するようになります。

2010年代になると、従来のような労働移民に加え、紛争や政情不安から逃れてきた難民たちがヨーロッパの国々に殺到。その多くは、イスラム教国のシリア、アフガニスタンなどからの難民でした。イスラム過激派によるテロの影響もあって、移民・難民に対する差別や偏見が高まったのもこの時期。フランス、ベルギーなどが、イスラム女性が公共の場でブルカ（全身を覆う衣服）を着用することを法律で禁じるなど、欧州社会は反イスラム化していきました。

中東情勢が悪化し、さらなる難民の流入が予想される現在、EU（欧州連合）は移民・難民の受け入れを制限する政策に転換。しかし仮に今後、移民の流入がゼロだったとしても、すでに域内に居住するムスリムは、高い出生率によって増え続けます。そのためEU内ではムスリムとの共生に努めるべきだという声も上がっています。

Part 1
データで見るイスラム教 ④

労働・留学・観光などの目的で訪日するイスラム教徒が増加

バブル期に訪日ムスリムが急増

日本とイスラム教は、長い間、直接の関わりがありませんでした。ムスリムが集団で来日したのは、1917年のロシア革命によって国を追われたトルコ系移民が最初です。

ヨーロッパと異なり、日本は戦後復興を自国民で支えてきましたが、1980年代後半にバブル景気が始まると、日本に出稼ぎにやってくる外国人労働者が急増。パキスタン、バングラデシュ、イランなどのイスラム圏からも多くの労働者が訪れ、その一部は日本に定住しました。外国人ムスリムと結婚し、イスラム教に改宗する日本人女

日本で暮らすイスラム教徒の人口は?

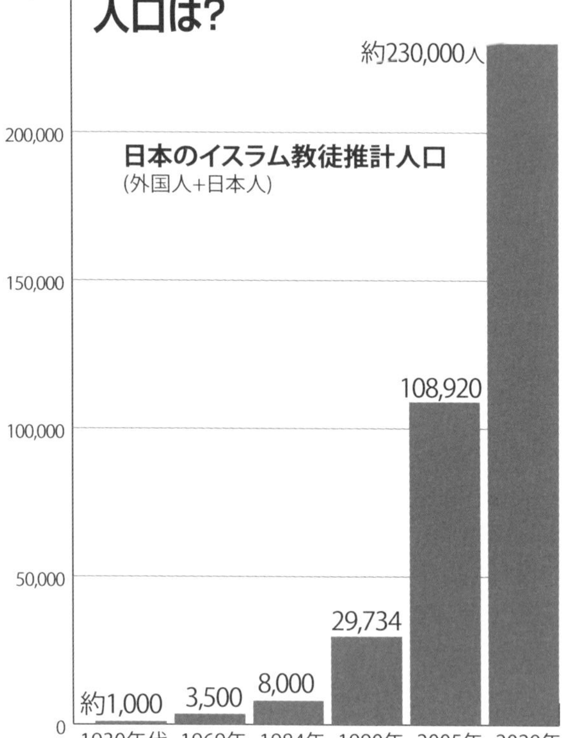

本稿の作成にあたっては「日本のムスリム人口1990-2020年」(店田廣文)を参考にさせていただきました

国別イスラム教徒のトップはインドネシアの人々

インドネシア	58,278人
パキスタン	18,415
バングラデシュ	15,560
マレーシア	6,325
トルコ	6,057
イラン	4,092
アフガニスタン	3,474
ウズベキスタン	2,768
エジプト	1,824
ナイジェリア	1,674

0 10,000 20,000 30,000 40,000 50,000 60,000

国別滞日外国人イスラム教徒人口
(2020年主要イスラム教国抜粋、不法残留者除く)

日本には約23万人のイスラム教徒が暮らしている

性も増加。留学生や技能実習生として、日本に長期滞在するムスリムも増えています。

その結果、1930年代には約1000人だったとされる日本のムスリム人口は、1990年には約３万人、2020年には推定約23万人にまで膨れ上がりました。

ムスリム観光客への対応が急務に

イスラム教では、１日５回の礼拝、年に１度の断食、戒律に則した「ハラール」と呼ばれる食事など、独自の生活習慣が求められます。そのため従来は、ムスリム自身が礼拝所を建設したり、食事に配慮したりして、イスラムのコミュニティのなかで信仰生活を守ってきました。しかし近年は、インドネシアとマレーシアからのムスリム観光客だけで、年間最大80万人が訪日していることもあり、日本の観光業界や自治体、企業なども、ムスリム受け入れ策を強化。空港やホテルに礼拝所を設置し、レストランや食品店でハラール食を扱うなど、さまざまな取り組みが進められています。

観光で訪れるイスラム教徒のトップ2は

出典：日本政府観光局

	2010	2013	2019	コロナ禍	2023
マレーシア	80,308	140,484	458,519		238,371
インドネシア	53,195	101,726	339,133		201,770

特殊技能在留外国人のトップ2は

2022年12月末の総数	130,915人
ベトナム	77,135人
インドネシア	16,327人

イスラム圏ではインドネシアがトップ

出典：出入国在留管理庁

留学生では、インドネシアが5位

2022年度	総数231,146人
中国	103,882人
ベトナム	37,405人
ネパール	24,257人
韓国	13,701人
インドネシア	5,763人

出典：独立行政法人日本学生支援機構

日本国内のモスク・マスジド（礼拝所）の数も増加している

1930年代	3カ所
1999年	15カ所
2021年	113カ所

アンヌール モスク新潟

仙台モスク

神戸ムスリム モスク

大阪茨木モスク

行徳ヒラーマスジド

福岡マスジド

東京ジャーミイ

Part 1
データで見るイスラム教 ⑤

世界で拡大するイスラム経済 ハラール市場が急成長

ハラール市場とイスラム金融

世界中でムスリムが増えているいま、注目を集めるのがイスラム経済です。

アメリカの調査会社ディナール・スタンダードが発表した「世界イスラム経済レポート2023／24」によれば、世界のムスリムの消費支出は年々増え続け、2022年には2兆2900億米ドル（約340兆円）に。2027年には、3兆1000億米ドル（約460兆円）にまで増加すると予測されています。

支出の内訳は、豚肉やアルコールなどイスラムで禁じられているものを含まないハラールの食品、医薬品、化粧品、イスラ

イスラム経済がなぜ急成長しているのか

1 イスラム諸国は若年層が多い

イスラム教徒の国が、世界の若年人口比率(15歳未満)国別ランキング20位中11カ国を占めている

2 経済的に豊かな国が多い

1人あたりのGDPで比較すると

国	米ドル(2022)
カタール	88,046
アラブ首長国連邦	53,758
クウェート	43,233
ブルネイ	37,152
サウジアラビア	30,436
世界平均	12,647

3 イスラム教の価値観に沿った消費行動

イスラム教の教えは生活全般に及ぶ。その教えに従う消費行動は、自然とイスラム経済圏を潤す

4 イスラム教の価値観はSDGsと親和的

イスラムの価値観は、食の安全、健康、衛生など多くの観点から、非ムスリムにも人気であり、時代のトレンドとなっている。国連が提唱するSDGs(持続可能な開発目標)との親和性も高い

5 インターネットの普及とネットショッピングの利用増加

イスラム教徒には若いZ世代が多く、デジタル化に適応している

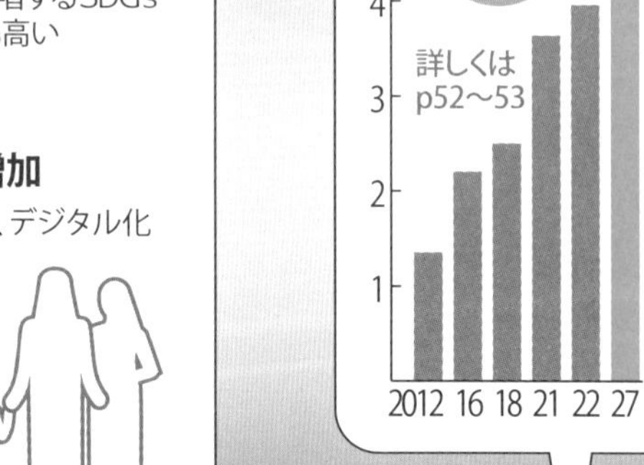

イスラム経済圏とは、若い世代の経済圏

イスラム経済は50%近い成長を続ける

イスラム世界の消費支出の推移(米ドル)

年	消費支出
2012年	1.62兆ドル(約240兆円)
2022年	2.29兆ドル(約340兆円)
2027年予測	3.1兆ドル(約460兆円)

「世界イスラム経済レポート2023/24」

ちなみに日本の消費支出は2020年　約280.5兆円

イスラム経済の分野別の市場規模

イスラム金融市場

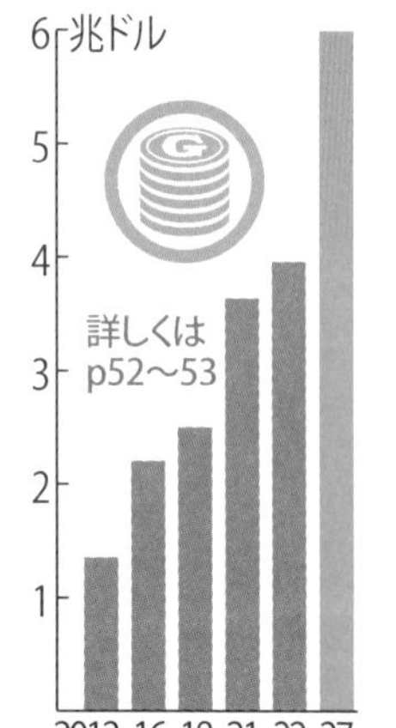

詳しくはp52〜53

ムスリム対応旅行市場

メディアと娯楽市場

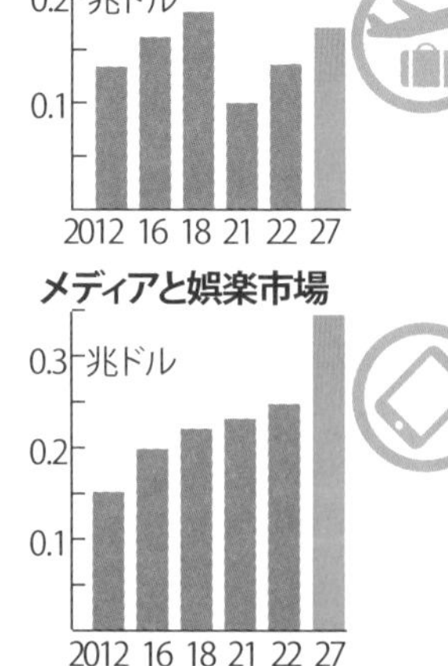

ムの慣習に配慮した旅行、肌を露出させないモデストファッション、ムスリム向けのメディア・娯楽の6分野。下のグラフに示したように、いずれも堅実に伸び続け、ムスリムを対象としたハラール・ビジネスが、一大市場を形成していることがわかります。

さらに大きな成長を遂げているのがイスラム金融です。イスラム教には、利子を禁じるなど独自の倫理観があるため、通常の銀行とは異なる仕組みをもつイスラム銀行が発展。金融資産を着実に増やしています。

イスラム経済の将来予測

同レポートは、イスラム経済は今後も成長していくと予測。その要因として、これから経済を支えていく若いムスリムが多いこと、中東の産油国やアジアの新興国など豊かな国が多いこと、ネット通販の普及により買い物が容易になったことなどを挙げています。さらに、ハラール製品は、安全性や衛生、健康などの観点から、非ムスリムの間でも注目を集めています。

世界からイスラム経済への投資も増えている

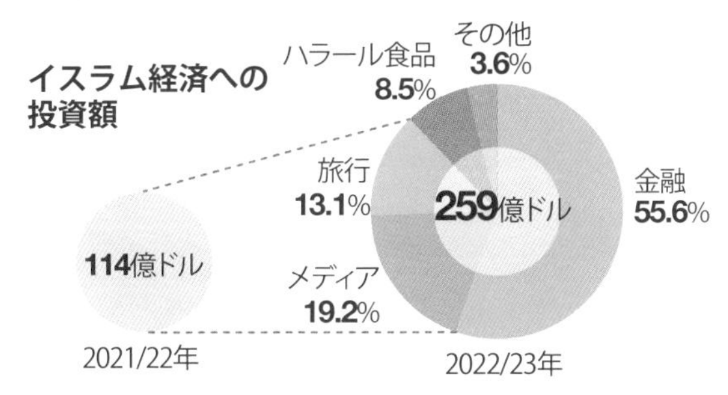

イスラム経済をリードする世界イスラム経済指数上位国

1位	マレーシア
2位	サウジアラビア
3位	インドネシア
4位	アラブ首長国連邦
5位	バーレーン

イスラム経済6分野において、市場規模、ガバナンス、認知度、社会的影響度、イノベーションなどをスコア化し、イスラムの教えにしたがった経済活動のしやすさを評価。マレーシアは10年連続トップの座をキープ

ハラール食品市場

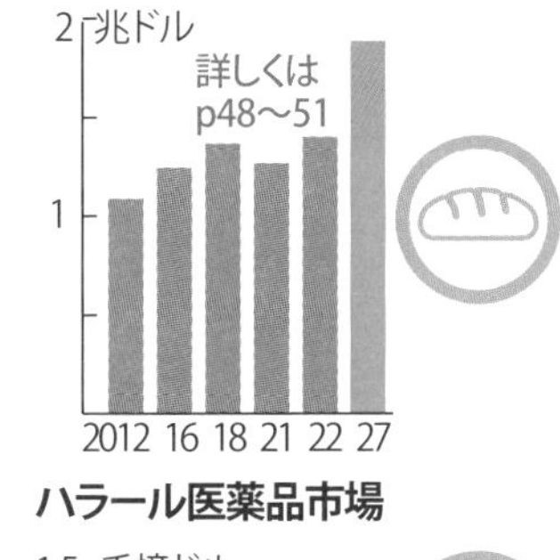

モデストファッション市場

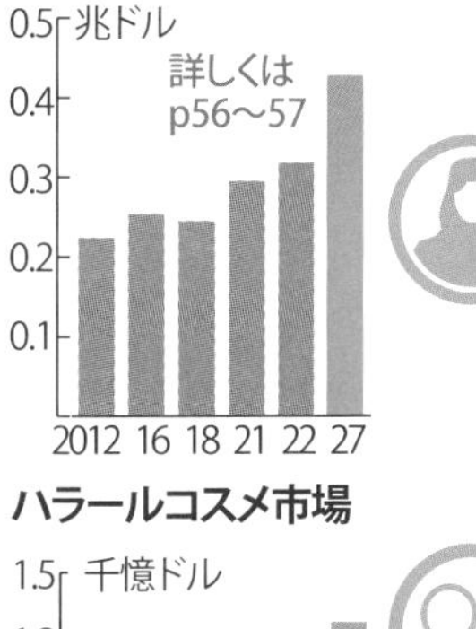

ハラール医薬品市場

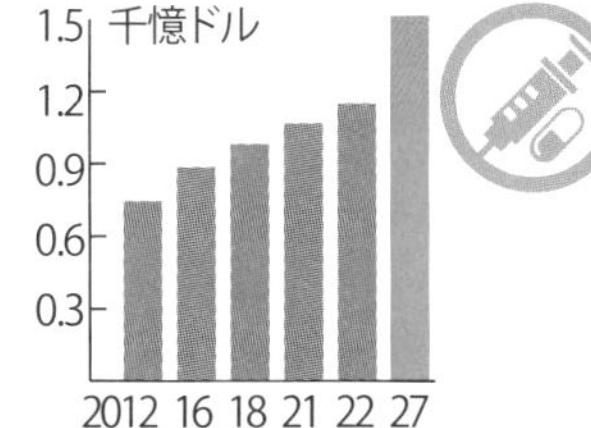

ハラールコスメ市場

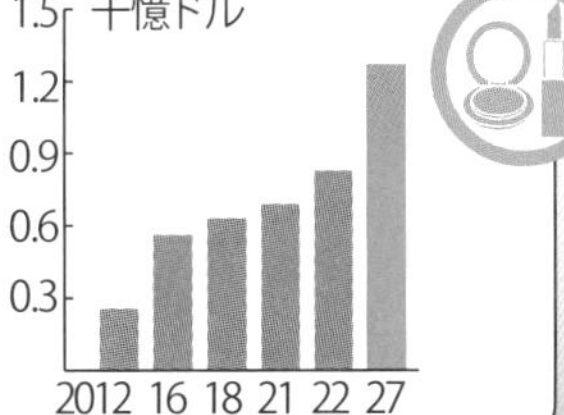

イスラム経済独自の世界スクーク(イスラム債)が人気

イスラム法に基づく投資

ESG投資

スクーク(イスラム債)

ASEAN主要6カ国のイスラム市場は、年率278%で成長している

詳しくはp52〜53

出典:世界イスラム経済レポート2023/24
(State of the Global Islamic Economy Report 2023/24)

Part 2

イスラム教の基礎知識

1

イスラム教が信じる神はユダヤ教・キリスト教と同じ

同じルーツをもつ3大一神教

世界にはさまざまな宗教があります。古代ギリシアやインドの神話、日本の神道などは複数の神を祀る多神教。それに対し、イスラム教は唯一の神を信じる一神教です。

多神教の世界 ➡ 唯一の神を信じる世界

人々の多様な願いや、世界創造の物語に合わせて多彩な神々が生み出されてきた

例えばギリシアの神々

そのうちの神のひとつ

例えばインド世界の神々

ギリシア神話、インド神話の神々がその典型

唯一神
神はアブラハムに自分を唯一の神として信ずることを命じた

アブラハム
(コーランでは イブラーヒーム)
全てのユダヤ人、アラブ人の祖として崇められる最初の預言者

妻・サラ

息子 **イサク**
(コーランでは イスハーク)
ユダヤ人の祖先

妻・ハガル

息子 **イシュマエル**
(コーランでは イスマーイール)
アラブ人の祖先

アブラハムは神の命令に従って息子を犠牲に捧げようとするが、その忠誠心を見た神にとめられる。この逸話は旧約聖書にもコーランにも共通するが、前者ではイサク(イスハーク)、後者ではイシュマエル(イスマーイール)と息子の名が異なっている

唯一神教はここから始まるため「アブラハムの宗教」とも称する

一神教にはイスラム教のほかに、ユダヤ教、キリスト教があります。じつはこれら3つの宗教が信じる神は同じです。

ユダヤ教は、預言者アブラハムが神の啓示を受けたことに始まり、ユダヤ人（イスラエル人）の民族宗教として発展しました。その聖典に記された預言どおり、救世主イエスが登場すると、ユダヤ教から分離してキリスト教が誕生。ユダヤ人だけでなく万人のための宗教として、ローマを中心とする地中海世界に広まります。さらに7世紀、アラブ人の預言者ムハンマドが神の啓示を受けて興したのがイスラム教です。

これら3大一神教は、アブラハム（イスラム教ではイブラーヒーム）に端を発するため、「アブラハムの宗教」とも呼ばれます。その教えには共通するものも多いのですが、イスラム教は独自の聖典コーランを掲げて、アラブ世界を中心に発展。イスラムとは「神にすべてを委ねること」を意味します。

イスラム教徒は、ユダヤ教・キリスト教と同じ神を信じている

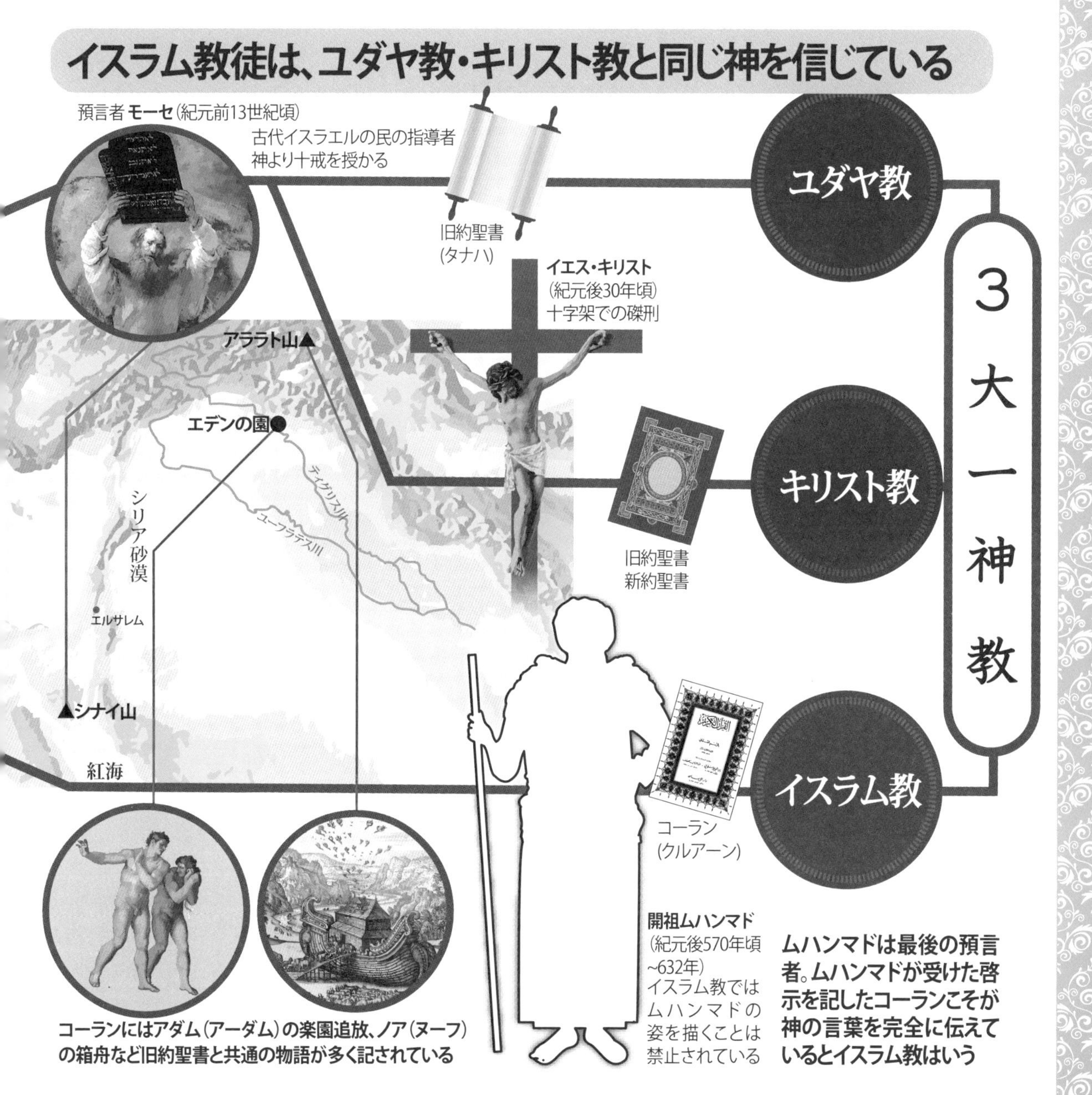

Part 2
イスラム教の基礎知識
②

イスラム教誕生前のアラビアは多神教の部族社会だった

砂漠の民が争い合った無明時代

イスラム教は、7世紀のアラビア半島で生まれました。なぜこの時代、この場所で、新しい宗教が必要とされたのでしょう。

アラビア半島にイスラム教が興る以前の時代を「ジャーヒリーヤ（無明）時代」といいます。まだアラブ民族を束ねる統一国家がなく、血縁で結ばれたいくつもの部族が、それぞれの神をもち、それぞれの掟に従って暮らしていました。多くの部族はベドウィンと呼ばれる遊牧民で、ラクダやヤギを連れて砂漠を移動し、部族同士で争いを繰り返していたような時代でした。

分裂し抗争するアラブ世界に、人々をまとめて平和を実現する新しい宗教と政治が必要だった

統一国家の不在
周辺の大国に挟まれ、民族として弱体である

経済格差が拡大した社会になった
一部の部族のみが経済的恩恵を受け、より強大になる

絶えない紛争が社会不安を生む
部族間の復讐の戦いが止むことがない

大復讐合戦

目には目を歯には歯を
同害報復の伝統が生む復讐の連鎖

部族間の対立抗争の激化
有力部族の商業資本の台頭

メッカではクライシュ族が支配権をもつ

多神教徒の社会
部族がそれぞれの神をもち、礼拝していた。カーバ神殿は多神教の神殿として360の偶像神が祀られていた。左はイスラム教以前にメッカで信仰されていた女神アッラートのレリーフ

交易の拡大
経済力の増大

極めて強力な血縁集団の社会
血縁で固く結びついた一族が、氏族・部族を構成し、放牧地、井戸の権利をめぐり争いが続く

イスラム教以前の無明時代のアラビア世界

大商人の出現で格差が生まれる

一方、アラビア半島の北方では、ササン朝ペルシアとビザンツ帝国という２大帝国が抗争を繰り広げ、東西交易の主要ルートであるシルクロードの交通を妨げていました。そのためアラビア半島を迂回するルートが利用され、半島西部にあるオアシス都市メッカが交易の中継地として発展。この交易で財をなしたのが、５世紀末頃からメッカに定住していたクライシュ族でした。

メッカには、各部族の神を祀るカーバ神殿が古くからあり、クライシュ族は神殿の管理権も獲得。巡礼の時期には定期市が開かれ、砂漠では手に入らない食料などを買い求める大勢の巡礼者で賑わいました。

メッカの大商人たちは、交易と巡礼で得た利益を独占したため、人々の間に急速に格差が広がります。部族社会の欠陥が露呈し、人々が光を求めていたこの時代に、富裕層であるクライシュ族のなかから、やがて預言者が現れることになるのです。

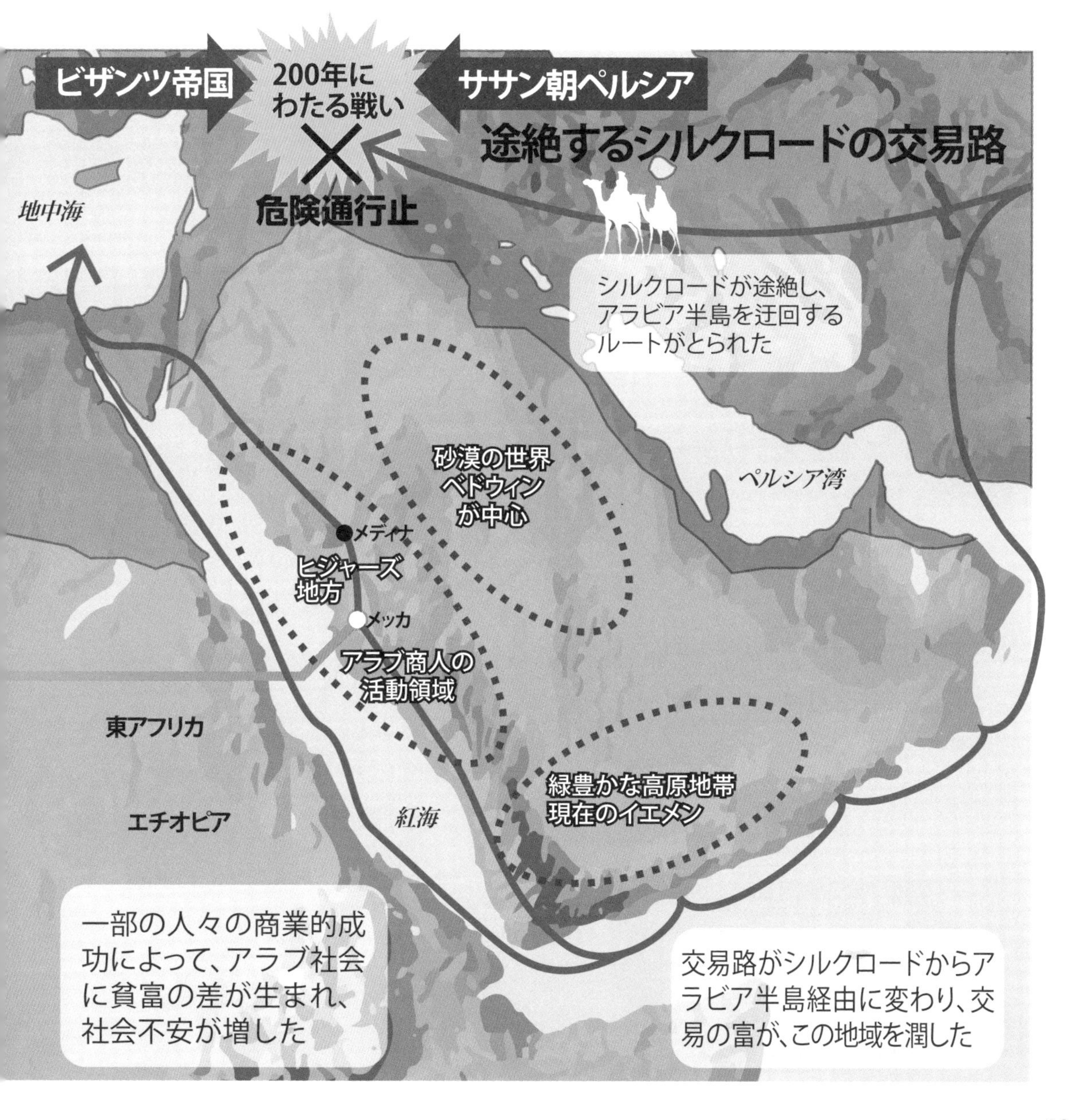

Part 2
イスラム教の
基礎知識
③

イスラム教の開祖ムハンマド 商人から預言者となったその生涯

神の啓示を受けた最後の預言者

イスラム教の開祖ムハンマドは570年頃、アラビア半島のメッカでクライシュ族の名門氏族ハーシム家に誕生。早くに両親を亡くし、叔父のもとで商人となり、やがて妻子を得て安定した暮らしを手に入れます。転機が訪れたのは40歳頃のこと。メッカ郊外のヒラー山の洞窟で瞑想していたとき、天使ガブリエル（ジブリール）を通してアッラー（神）の言葉を授かったのです。

以来、たびたび神の啓示を受けるようになったムハンマドは、布教を開始。しかし、多神教の聖地メッカでは、アッラーを唯一

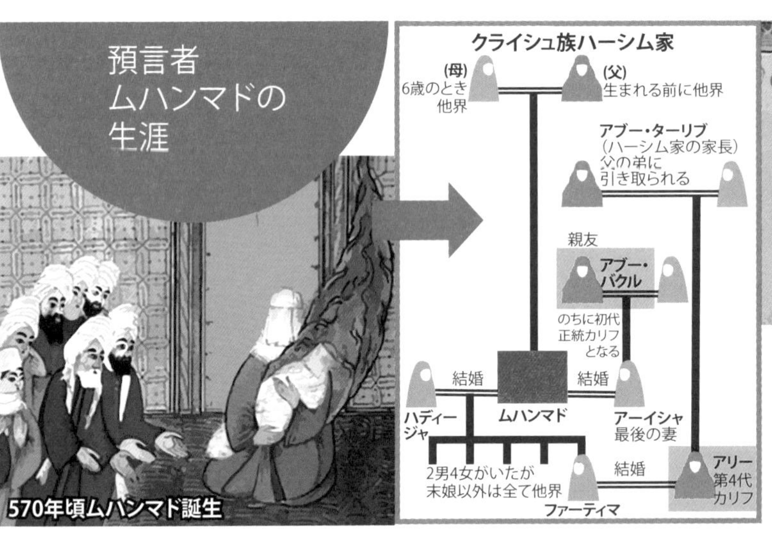

570年頃ムハンマド誕生

ムハンマドは商人として堅実な人生を生きる

25歳で15歳年上の資産家の女性ハディージャと結婚し、商人として堅実に仕事に励み、人々の信用を勝ち得た

630年1月 ムハンマドはメッカに無血入城

ムハンマドはカーバ神殿に並ぶ多神教の像を打ち壊し、アラブ民族の無明時代の終了を宣言した。次いで礼拝への呼びかけ(アザーン)が響き渡った

630年10月 ついにアラビア半島が統一される

イスラムの大軍を送り出すムハンマド

632年6月8日 ムハンマド62歳(または63歳)で病死 最期は18歳の妻アーイシャに見とられた

ウフド山
メディナ
バドル
メッカ

1 624年 バドルの戦い
ムハンマドがメッカの商隊を襲撃。メッカ軍1,000にムハンマド側300の兵で圧勝する

2 625年 ウフドの戦い
メッカ軍3,000がメディナを襲う。ウフド山を背に迎え撃つが、ムハンマドが負傷する

3 627年 ハンダクの戦い
反ムハンマド連合軍10,000の大軍がメディナを襲う。ムハンマドは塹壕(ハンダク)を築いて籠城戦で戦い、メッカ軍は砂嵐に阻まれ、撤退する

4 630年 ムハンマド軍のメッカ包囲
メッカは無条件降伏する

の神とする教えは異端視され、迫害を受けるようになりました。身の危険を感じたムハンマドは、信者とともにヤスリブ（のちのメディナ）に逃れます。この移住はヒジュラ（聖遷）と呼ばれ、一行がメディナに到着した622年は、のちのイスラム暦（ヒジュラ暦）の元年とされました。

ムハンマドは、メディナで信者たちの共同体「ウンマ」を設立。信仰で結ばれた平等で平和な社会を目指します。しかし、メッカのクライシュ族から執拗な弾圧を受け、ついに武力による戦いに発展。４度の大きな戦いの末に勝利したのは、ムハンマドの軍勢でした。630年、ムハンマドはメッカを征服。さらにはアラビア半島を統一します。しかし、突然の病に倒れ、632年に62年（または63年）の生涯を閉じたのでした。

ムハンマドは、イスラム教という新しい宗教を興しただけではなく、それまで争い合っていたアラブ民族をひとつにまとめあげるという功績を残しました。ここからイスラム国家が生まれることになるのです。

40歳頃、天使ガブリエル（ジブリール）を通じ、神の啓示を受ける

メッカの部族社会のもつ矛盾に悩み、ヒラー山で瞑想するムハンマドに神の啓示が下る

神はこう命じた

偶像崇拝をやめ、唯一神を崇拝しなさい
赤子の女児を殺してはならない。孤児の世話をしなさい
女性を公平に扱いなさい。貧者に施しをしなさい
善行として奴隷を解放しなさい

ムハンマドはメッカで神の言葉を人々に伝えた

最初にムハンマドの言葉を信じたのは、妻のハディージャ、そして親友のアブー・バクルだった。

しかし、多神教の聖地メッカでの布教には限界があった

メッカを支配する有力部族から迫害を受ける

622年7月16日
ムハンマドと信徒はヤスリブ（メディナ）に逃れる　これを「ヒジュラ」という

ヤスリブ（メディナ）
300km
メッカ
クライシュ族

叔父アブー・ターリブと妻ハディージャが亡くなり、ムハンマドは後ろ盾を失う

12年に及ぶ迫害から信徒たちを守るため、メッカを捨てる

神の代理人
ウンマ

メディナでイスラムの共同体「ウンマ」誕生

血縁にも地縁にもよらない、信仰で結ばれた平等な共同体をつくりあげた

ムハンマドのジハード（聖戦）

Part 2 イスラム教の基礎知識 ④

神の言葉を記したコーランは114章からなるイスラムの規範

開祖の死から約20年後に成立

ムハンマドが神から授かった言葉は、口伝えで信者たちに広まっていきました。しかしムハンマドの死後、伝承が散逸する恐れがあったため、一冊の書物にまとめられました。それがイスラム教の啓典「コーラン（正確な発音はクルアーン）」です。

コーランの編纂は、ムハンマドの秘書ザイド・ブン・サービトによって2度にわたって行われ、第3代正統カリフ、ウスマーンの時代に完成。コーランとはアラビア語で「読誦するもの」を意味し、詩のように美しい響きをもつのが特徴です。

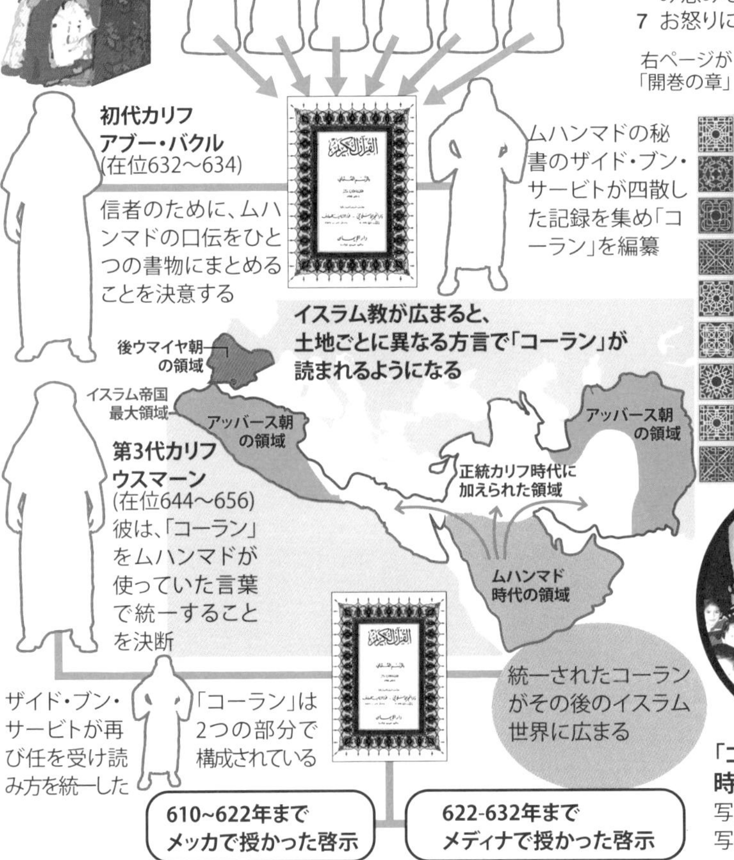

「コーラン」の第1章「開巻の章」は「コーラン」の真髄と言われ、礼拝には必ず朗読される

1 慈悲ぶかく慈愛あつき神の御名において。
2 神に讃えあれ、万有の主、
3 慈悲ぶかく慈愛あつきお方、
4 審判の日の主宰者に。
5 あなたをこそわれわれは崇めまつる、あなたにこそ助けを求めまつる。
6 われわれを正しい道に導きたまえ、あなたがみ恵みをお下しになった人々の道に、
7 お怒りにふれた者やさまよう者のではなくて。

「コーラン」は幼い子ども時代からみんなで学ぶ
写真はフェス・コーラン学校
写真提供/監修者

教義や生活の規範を記す

コーランは全部で114の章（スーラ）からなり、各章を構成する節（アーヤ）は、最小３節から最大286節まで長短さまざま。章の順番は下の目次に示したとおりですが、神の啓示が下った時代順というわけではなく、なぜこのような配列になったのかは明らかにされていません。

内容は、ムハンマドがメッカにいた期間に授かった「メッカ啓示」とメディナに移住してからの「メディナ啓示」とに大きく分かれます。メッカ啓示は、ひとつの章が比較的短く、唯一神や来世など、信仰の基本を説く内容が多く見られます。一方のメディナ啓示は、信徒がなすべきこととして、礼拝から商取引まで、生活全般の規範を具体的に示しているのが特徴です。

なお、コーランは神がアラビア語で授けた言葉をそのままに伝えるものであり、他言語に翻訳されたものは、あくまで解説書として位置づけられています。

コーランの目次

章	章　題	節数
1	開巻の章	7
2	雌牛の章	286
3	イムラーン家の章	200
4	女人の章	176
5	食卓の章	120
6	家畜の章	165
7	高壁の章	206
8	戦利品の章	75
9	悔い改めの章	129
10	ヨナの章	109
11	フードの章	123
12	ヨセフの章	111
13	雷鳴の章	43
14	アブラハムの章	52
15	ヒジルの章	99
16	蜜蜂の章	128
17	夜の旅の章	111
18	洞穴の章	110
19	マリヤの章	98
20	ター・ハーの章	135
21	預言者の章	112
22	巡礼の章	78
23	信ずる人々の章	118
24	光の章	64
25	フルカーンの章	77
26	詩人の章	227
27	蟻の章	93
28	物語の章	88
29	蜘蛛の章	69
30	ギリシア人の章	60
31	ルクマーンの章	34
32	伏拝の章	30
33	部族連合の章	73
34	サバの章	54
35	創造者の章	45
36	ヤー・スィーンの章	83
37	整列者の章	182
38	サードの章	88
39	集団の章	75
40	信者の章	85
41	説明の章	54
42	協議の章	53
43	装飾の章	89
44	煙の章	59
45	跪くの章	37
46	砂丘の章	35
47	マホメットの章	38
48	勝利の章	29
49	部屋の章	18
50	カーフの章	45
51	まき散らすものの章	60
52	山の章	49
53	星の章	62
54	月の章	55
55	慈悲ぶかいお方の章	78
56	出来事の章	96
57	鉄の章	29
58	異議を唱える女の章	22
59	追放の章	24
60	試される女の章	13
61	隊列の章	14
62	集会の章	11
63	偽善者どもの章	11
64	騙しあいの章	18
65	離婚の章	12
66	禁止の章	12
67	主権の章	30
68	筆の章	52
69	必然の章	52
70	階段の章	44
71	ノアの章	28
72	ジンの章	28
73	衣をかぶる者の章	20
74	外衣を纏う者の章	56
75	復活の章	40
76	運命の章	31
77	送られるものの章	50
78	音信の章	40
79	ひき抜くものの章	46
80	眉をひそめたの章	42
81	つつみ隠すの章	29
82	裂けるの章	19
83	減量者どもの章	36
84	割れるの章	25
85	星座の章	22
86	夜の訪問者の章	17
87	至高なるお方の章	19
88	隠蔽の章	26
89	夜明けの章	30
90	町の章	20
91	太陽の章	16
92	夜の章	21
93	朝の章	11
94	拡張の章	8
95	いちじくの章	8
96	凝血の章	19
97	聖断の章	5
98	明証の章	8
99	地震の章	8
100	疾駆する馬の章	11
101	叩く音の章	11
102	持ち物自慢の章	8
103	夕暮の章	3
104	中傷者の章	9
105	象の章	5
106	クライシュ部族の章	4
107	慈善の章	7
108	潤沢の章	3
109	信仰なき者どもの章	6
110	助けの章	3
111	炎の章	5
112	真髄の章	4
113	黎明の章	5
114	人間の章	6

注・黒字＝メッカ時代の啓示、赤字＝メディナ時代の啓示　藤本勝次責任編集、中央公論社刊『コーラン』をもとに作成。章題と節数は訳本により異なる。

Part 2
イスラム教の
基礎知識
⑤

聖書と共通するエピソードでコーランは不信心な民を批判

神からの最終メッセージ

イスラム教は、ユダヤ教、キリスト教と兄弟関係にあるため、コーランには聖書と共通する人物や逸話が登場します。天地創造、アダムとイブ、ノアの箱舟、モーセの出エジプトなど、旧約聖書に記された有名な物語は、コーランにも書かれています。しかし、内容は少し違っています。

例えば、最初の人類アダムとイブが、禁じられた木の実を食べて楽園を追放される物語。キリスト教では、これが全人類が背負う罪の始まり（原罪）とされ、罰として男性には労働の苦しみ、女性には産みの苦

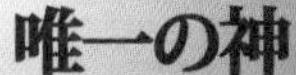

第一の預言者
アブラハム
(イブラーヒーム)
について

聖書では
神に選ばれ、約束の地を与えられたユダヤ民族の祖

アダムとイブのエピソード

2人を神は祝福

2人は禁断の実を食べた

人類最初の罪=原罪

神の罰　楽園追放

コーラン

ムハンマドが目指したのは、このイブラーヒームの一神教への回帰だった

コーランでは
一神教の始祖
一神教の始祖であり「アッラーの友」。メッカ巡礼の手順も、イブラーヒームの故事にまつわるものが多い

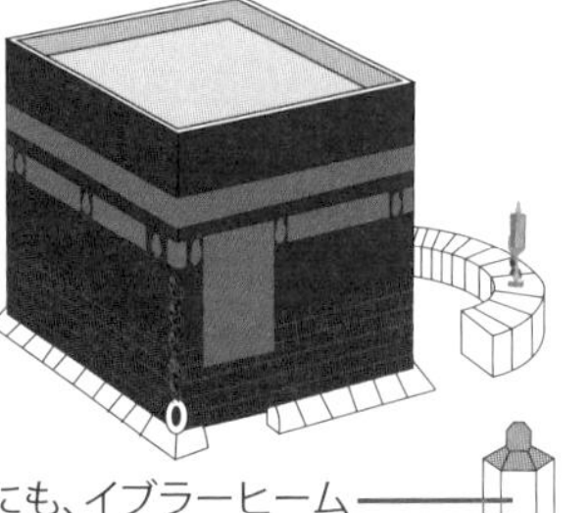

カーバ神殿にも、イブラーヒームのお立ち所として彼の足跡が祀られている

コーランでは、アーダム（アダム）の罪は赦される
アーダム（アダム）の楽園追放

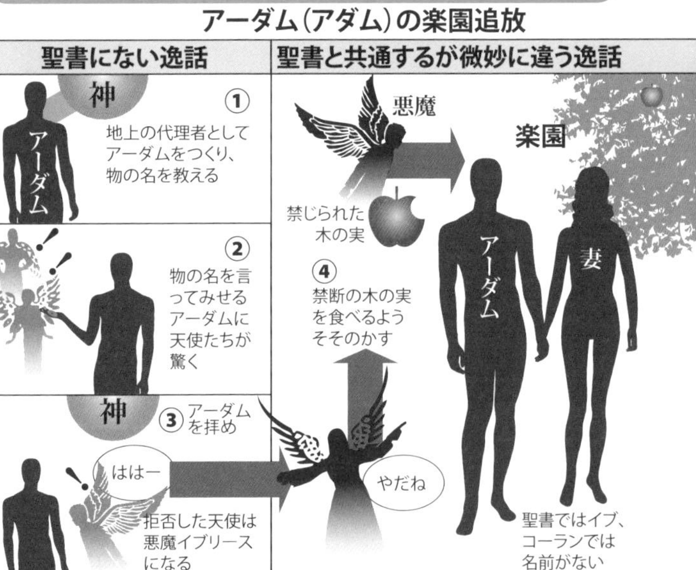

しみが与えられたと聖書に書かれています。ところがコーランでは、楽園を追放されたアーダム（アダム）は、罪を悔い改め、神の慈悲によって赦されます。原罪という考え方もここにはありません。

また、コーランは、預言者モーセ（コーランではムーサー）に背いて偶像を崇拝する民を繰り返し批判。キリスト教では神の子とされるイエス（コーランではイーサー）についても、その神性を否定し、神以外のものを崇めることを諌めています。

これらは決して、ユダヤ教・キリスト教の神やその聖典である聖書を否定しているわけではありません。批判が向けられているのは不信心な民です。そもそもイスラム教の神と先行する２つの一神教の神は同じ。その神が預言者たちを通して何度も啓示を授けたのに、人間は神の言葉をねじ曲げて伝えたり、過ちを繰り返したりしてきた。そこで神はムハンマドに言葉を授けなおし、それを忠実に記したのがコーランである、というのがイスラム教の考え方なのです。

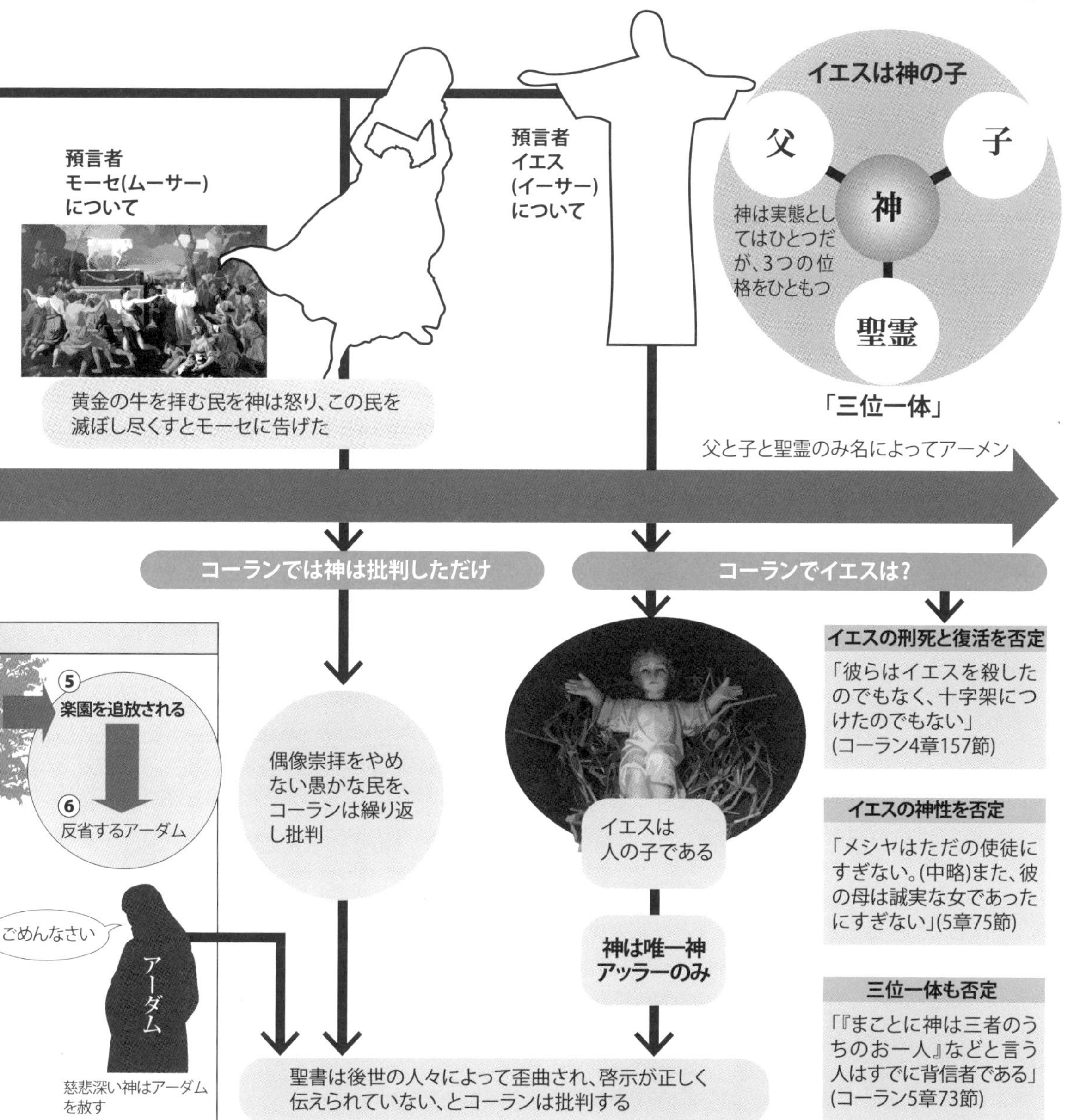

Part 2 イスラム教の基礎知識 ⑥

ムハンマドの言行録ハディースはコーランを補完する第2の典拠

預言者の言葉と行いを記す

コーランは、ムハンマドが神から授かった言葉を記した書。それに対し、ムハンマド自身の言葉や行いを記したものは「ハディース（伝承）」と呼ばれ、イスラム教の第２の典拠として尊ばれています。

コーランには教えの基本は書かれていますが、日常生活のなかで教えをどのように実践すべきか、事細かに書かれているわけではありません。そこでムハンマドは、信者たちの質問に答えたり、具体例をあげて教えを説いたりしました。それを直接見聞きした教友が語り伝え、伝聞で広まって

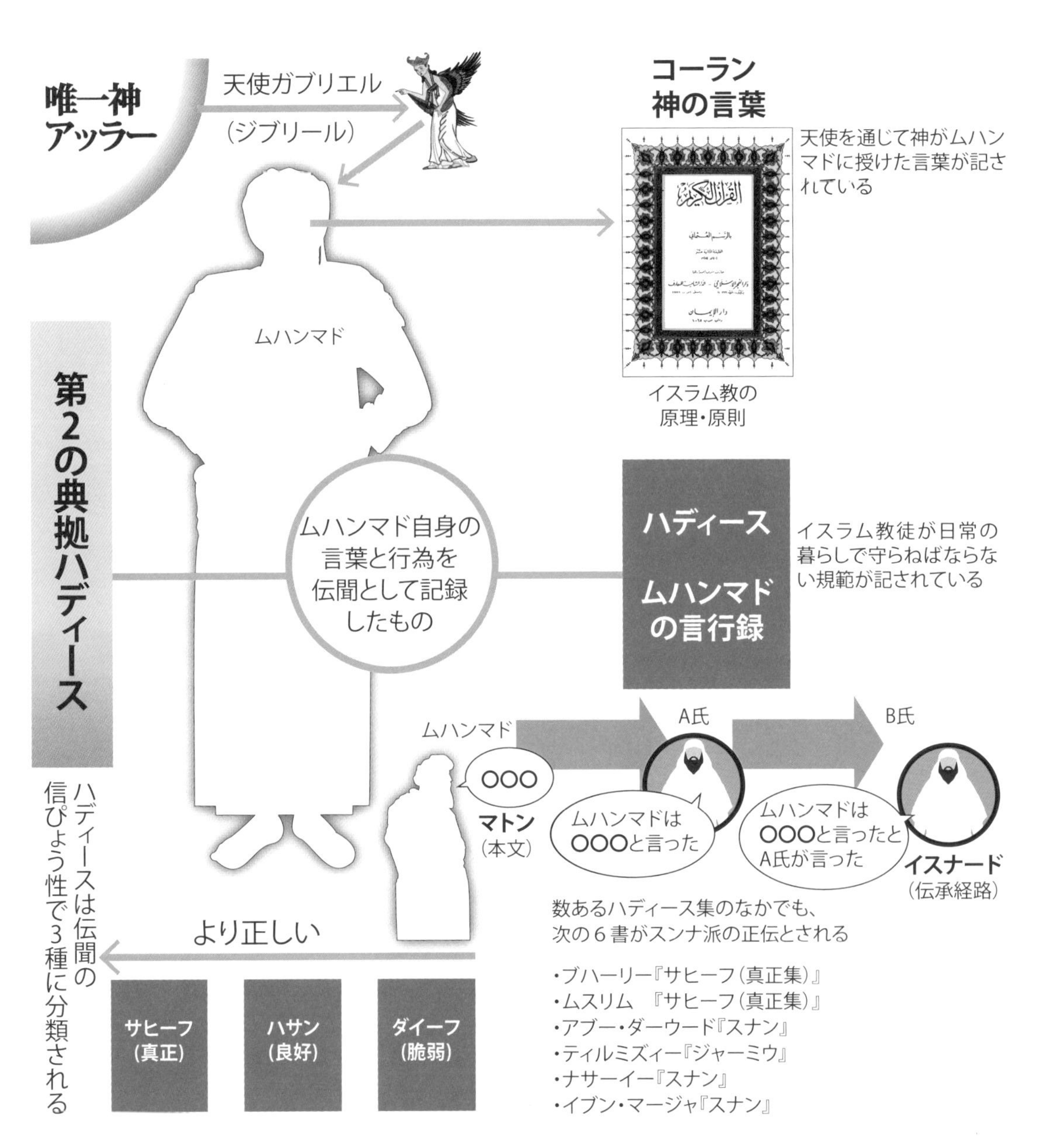

いったのがハディースです。

ハディースは、ムハンマドの言行（スンナ）を記す本文「マトン」と、伝承経路を示す「イスナード」から構成されています。例えば、「ムハンマドが『○○』と言った、とAが言った、とBが言った」というように、伝承者の名前が必ず添えられています。伝承は誤って伝わったり、つくり話が紛れこんだりする恐れがあるため、真偽を見極めるためにもイスナードが重要なのです。

ハディースを研究するハディース学では、数あるハディースを信ぴょう性の高い順に「サヒーフ（真正）」「ハサン（良好）」「ダイーフ（脆弱）」に分類。９世紀頃から、信頼できるハディースを集めたハディース集が多数つくられるようになりました。

ハディース集は宗派によって異なり、イスラム教徒の９割近くを占めるスンナ派では、ブハーリーとムスリムの「真正集」を筆頭に、この２つを含む６書のハディース集（p26右下参照）が権威あるものとされています。

よく知られているハディース

例えば、猫をいじめることについて

猫をいじめている子がいます。コーランには書かれていませんが、いいのですか?

ハディースにはこう書かれています

「ある女性が猫のために地獄に落ちた。彼女はそれを縛って食べ物を与えなかった。だからであり、さらに猫が地面の昆虫さえ食べられないように自由にもしてやらなかったからである」とムハンマドが語った、とアブー・フライラが伝えている

猫をいじめてはいけません。命あるものを大切にしましょう。

他者のために
預言者（ムハンマド）はおっしゃった。「神にとって最も愛すべき人々は、自らを他人のために役立てる人々である。最も好ましい振舞いは、人（ムスリム）に喜びを与えることであり、その人から苦痛を取り除くことであり、その人から負債をなくしてやることであり、その人から空腹を消し去ることである」（ティルミズィー）

人に優しく
ジャリール・ブン・アブドゥッラーは、預言者が次のようにおっしゃった、と伝えている。「他人に優しくない人に対して、神はその者に慈悲をお与えにならない」（ティルミズィー）

弱者をいたわる
アブー・ムーサー・アルアシュアリーは、預言者が次のようにおっしゃった、と伝えている。「飢えているものに食べ物を与えなさい。病人を繰り返し見舞いにいきなさい。身分の低い人たちのことをよく考えなさい」（ブハーリー）

真の同胞愛
預言者はおっしゃった。「あなたの兄弟を、悪事を働く者から、あるいは虐待される者から守りなさい」するとある人が言った。「預言者よ。もし兄弟が虐待される者ならば、私はその者を助けます。しかし、その者が悪事を働く者であったら、なぜその者を助けなければならないのか？」すると預言者はおっしゃった。「その者を、不正から、守りなさい、遠ざけなさい。それがその者を助けるからです」（ティルミズィー）

妻を大切に
イブン・アッバースは預言者が次のように言ったと伝えている。「あなたたちのなかで最もよい人は、自分の妻に最もよくする人です」（イブン・マージャ）

誰もが誰かの保護者
イブン・ウマルは伝えている。預言者は「あなた方は皆保護者であり、保護しているものに対して責任を負っている。カリフは人々の保護者であり彼の庇護下にある者達の責任者である。男子は家族の保護者であり責任者である。主婦は家庭で夫や子ども達の保護者であり責任者である。（中略）こうして、あなた方は皆保護者であり、各自は信じて託されたものの責任者であることに心せよ」と申された。（ムスリム）

禁酒について
イブン・ウマルは伝えている。アッラーのみ使いは「飲んで酔うものは全て酒である。そして、飲んで酔うものは全てハラームである。現世で酒を飲んでそれに溺れ、後悔もせず死せる者は来世では決してそれを飲むことはない」と申された。（ムスリム）

自殺について
アブー・フライラによると、預言者はこう言われた。「刀剣で自殺した者は、地獄の火中でその刀剣を手にもって自らの腹を永久に刺し続ける者となるだろう。毒を飲んで自殺した者は、地獄の火中で永遠に毒をすすり続ける者となるだろう。さらにまた、山頂から投身自殺した者は、地獄の火中を永遠に落ち続ける者となるだろう」（ムスリム）

Part 2
イスラム教の基礎知識 ⑦

日常の問題を神の論理で解決するイスラム独自の法体系シャリーア

すべては神が決める

ムハンマドの没後、イスラム共同体は勢力を拡大していきました。共同体の秩序を保つためには、ルールが必要です。イスラム教では「この世のすべてはアッラーによって決められている」と信じられているため、共同体のルールを決めるのも、人ではなく神でなくてはなりません。ここから生まれたのが、あらゆる問題に対する答えを神の意思に求めるイスラム独自の法体系、シャリーア（イスラム法）です。

キリスト教と違って、イスラム教には聖職者もいなければ、教義について話し合

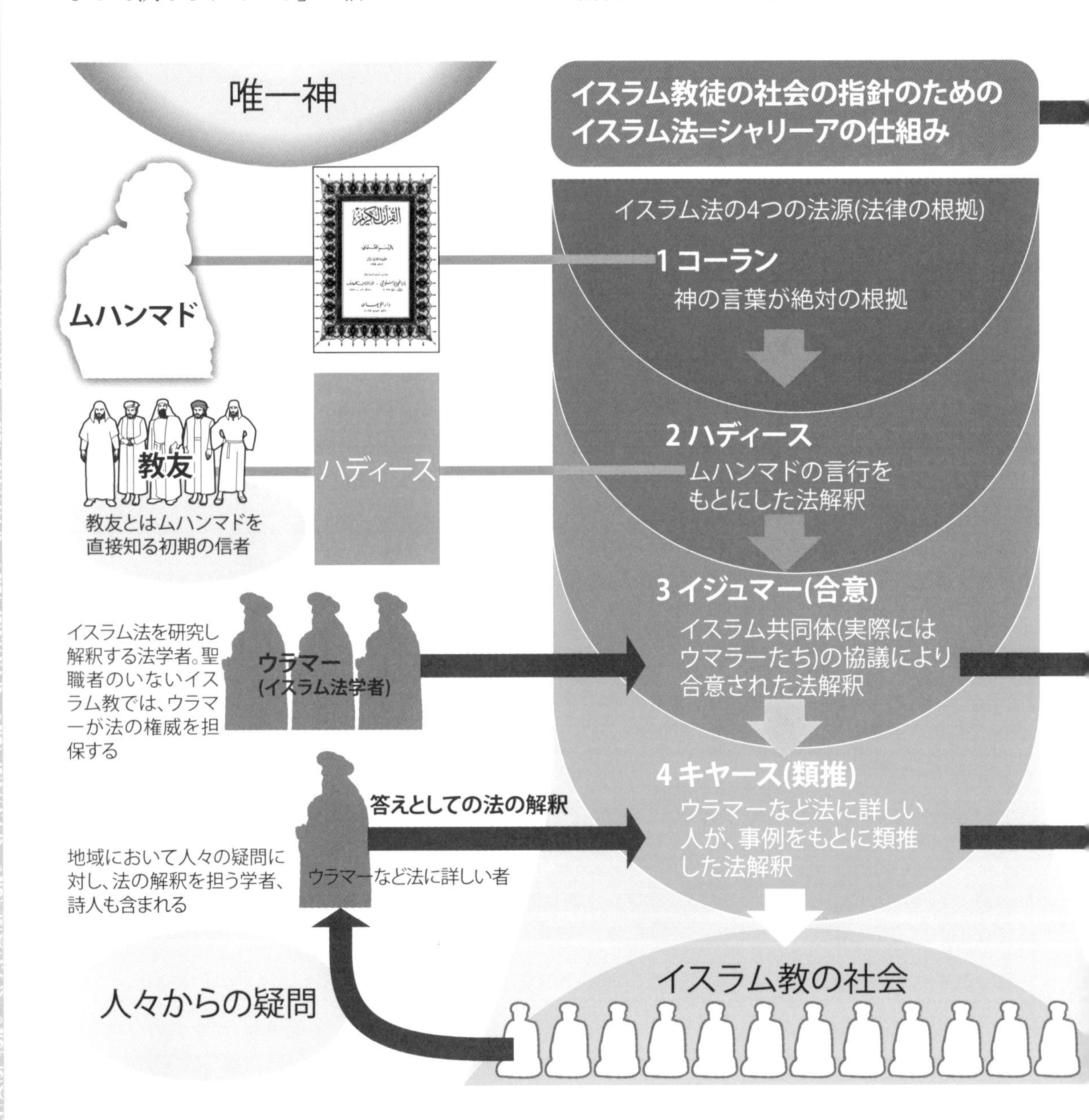

う宗教会議もありません。シャリーアの制定に携わったのは、ウラマーと呼ばれる学者たちでした。ウラマーたちがシャリーアの根拠としたのは、第一に神の言葉であるコーラン、第二にムハンマドの言行録であるハディース。そのどちらにも答えがない事例については、ウラマーを中心とするイスラム共同体の合意（イジュマー）に基づいて決められました。あるいは、類似した事例から類推（キヤース）して決めることもありました。

暮らしと人権を守る神の道

シャリーアの内容は、下に示したように信仰に関わることから日常生活の揉めごとを解決するためのものまで、多岐にわたります。決まりが多く、不自由にも思えますが、シャリーアの目的は人々の権利を守り、安全で幸せな暮らしを保護すること。シャリーアという言葉は、もともと「水場への道」を意味し、人間を正しく導く神の道ととらえられているのです。

シャリーアの5つの法のカテゴリー

1 信条
神・天使・啓典・預言者・来世・天命の「六信」を信じること

2 道徳律
「コーラン」「ハディース」にある、誠実、神への帰依、謙譲、脱俗、満足、寛大、忍耐などイスラム教徒としての道徳律

3 勤行
信仰告白、礼拝、喜捨、断食、巡礼の「五行」の実践とジハード(努力)

4 和解事項
結婚、相続、奴隷・自由人、契約、売買、証言、寄進、訴訟・裁判など人々の社会生活に必要な規定

5 刑罰
「コーラン」「ハディース」に規定された刑罰。窃盗の罪、背教の罪、姦通の罪、飲酒の罪など

シャリーアの究極の目的とは正義と慈悲を制度化して人々の利害を調整すること

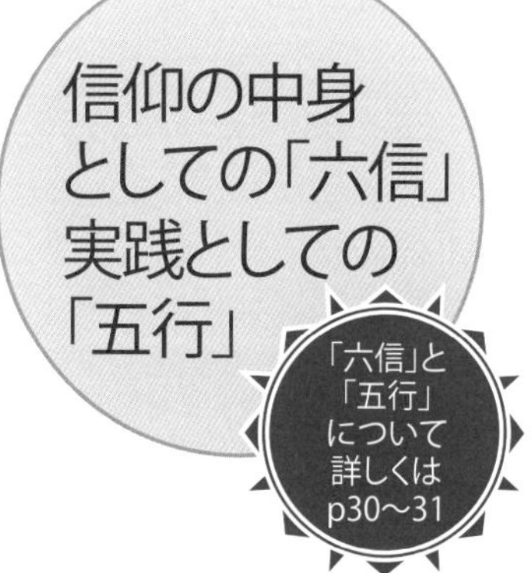

「六信」と「五行」について詳しくはp30〜31

コーランに反しますが、礼拝を簡単にできますか？

旅行中5回の礼拝はできない

2回を1回にしてもよい

コーランからの類推で焼酎も禁止

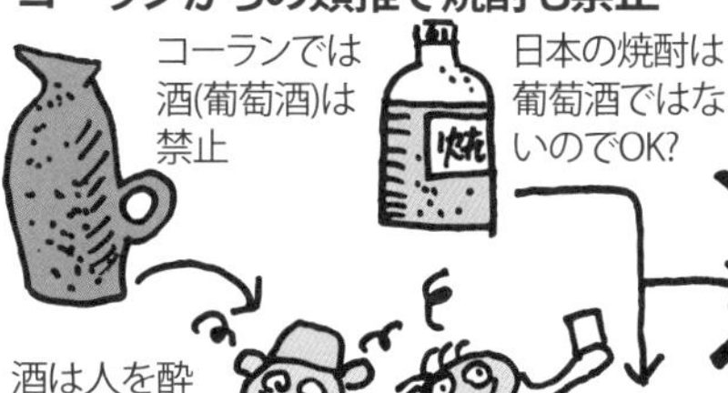

コーランでは酒(葡萄酒)は禁止

日本の焼酎は葡萄酒ではないのでOK?

酒は人を酔わせるから

焼酎も酔う

焼酎も酔うから禁止である

シャリーアが守る人々の5つの権利

1 生命の権利

2 宗教の権利

3 家族・生殖・名誉の権利

4 理性の権利

5 財産の権利

『現代人のためのイスラーム入門』(ガーズィー・ビン・ムハンマド王子著・中央公論社刊)より

Part 2 イスラム教の基礎知識 8

イスラムの教えの基本「六信五行」とは？

6つの信仰と5つの行い

イスラムの教えは、「六信五行」と呼ばれるものに集約されています。「六信」とは、イスラム教徒が信じるべき6つのこと。「五行」とは、イスラム教徒に求められる5つの行いをさします。

六信の対象となるのは、次の6つです。

① 唯一全能の神アッラー

② 天使（マラーイカ）

さまざまな役割をもつ神の使者たち。

③ 啓典（キターブ）

神の啓示を記した書。コーランが最重要。

④ 預言者（ナビー）

イスラム教徒の信仰生活の基本『六信』とは何か

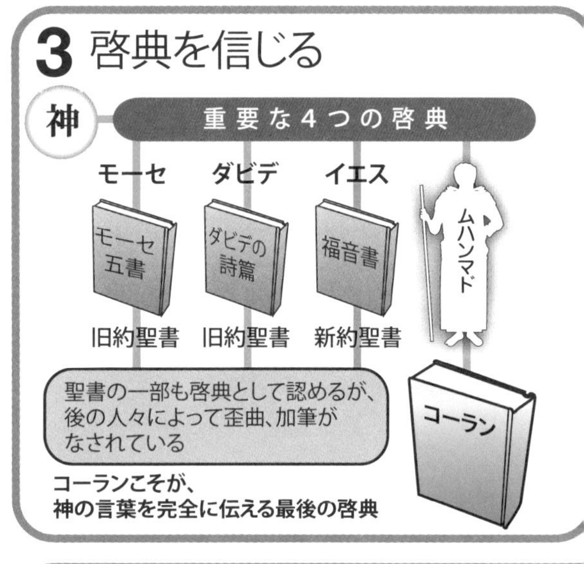

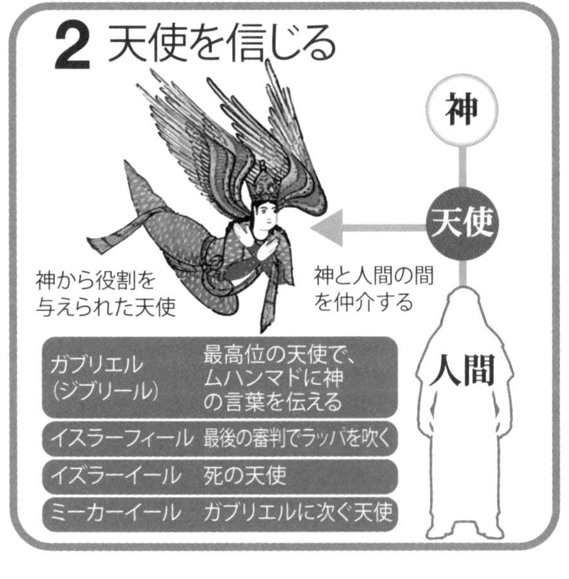

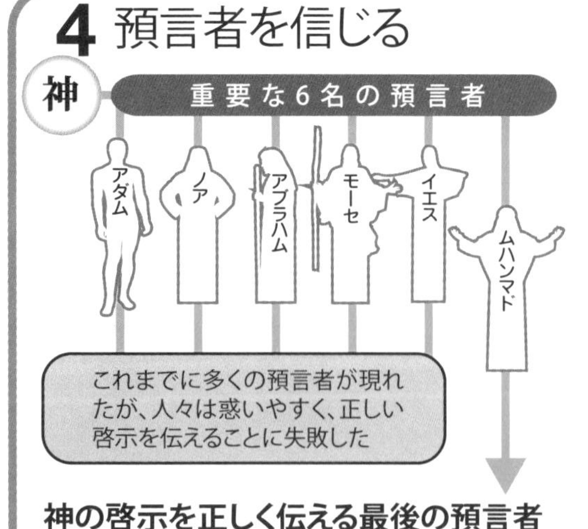

神の言葉を伝える人。筆頭はムハンマド。

⑤ 来世（アーヒラ）

神の裁きが下り、人は生前の行いによって天国か地獄に送られる、という終末観。

⑥ 天命（カダル）

人の運命は、神が定めたものであること。

これらを信じるだけでなく、日常生活のなかで信仰を行動で示すのが、イスラム教徒の務め。それが五行です。詳しくはPart 3で見ていきますので、ここでは次の5項目の要点をおさえておきましょう。

① 信仰告白（シャハーダ）

「アッラーのほかに神はなし。ムハンマドは神の使者なり」と証言すること。

② 礼拝（サラート）

1日5回、神に祈ること。

③ 喜捨（ザカート）

収入の一部を貧しい人に寄付すること。

④ 断食（サウム）

ラマダン月の日中、飲食を断つこと。

⑤ 巡礼（ハッジ）

巡礼月の指定日にメッカに巡礼すること。

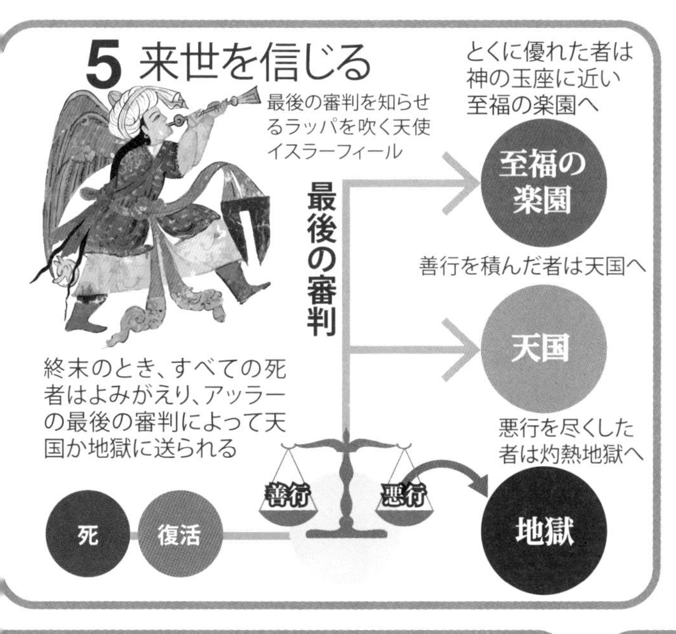

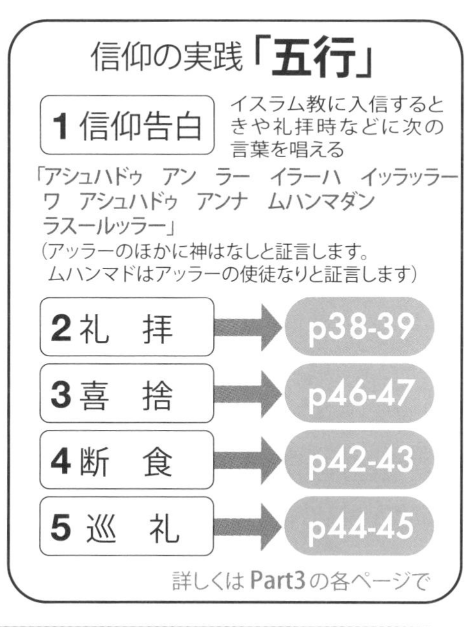

コーランに登場するムハンマド以前の預言者たち

( )内は聖書での呼称

アーダム(アダム)	アイユーブ(ヨブ)
イドリース	ズルキフル
ヌーフ(ノア)	ムーサー(モーセ)
フード	ハールーン(アロン)
サーリフ	ダーウード(ダビデ)
イブラーヒーム(アブラハム)	スライマーン(ソロモン)
ルート(ロト)	イルヤース(エリヤ)
イスマーイール(イシュマエル)	アルヤサア(エリシャ)
イスハーク(イサク)	ユーヌス(ヨナ)
ヤアクーブ(ヤコブ)	ザカリーヤー(ザカリヤ)
ユースフ(ヨセフ)	ヤヒヤー(ヨハネ)
シュアイブ	イーサー(イエス)

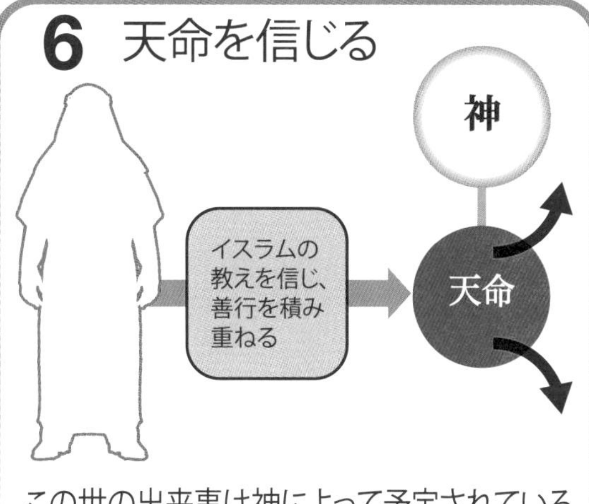

Part 2 イスラム教の基礎知識 ⑨

「ジハード」の本当の意味は神の道のために「努力」すること

不要な戦いを禁じるコーラン

イスラム教では、しばしば「ジハード」という言葉が使われます。日本語では「聖戦」と訳され、イスラム教徒による正義の戦いといった意味にとらえられています。しかし、アラビア語の本来の意味は、目的に向かって努力・奮闘すること。戦いとは関係のない言葉だったのですが、初期のイスラム教では、異教徒と戦うことが、信仰を守るための努力目標でもあったのです。

ムハンマドはメッカの異教徒との戦いに勝利したあと、「私たちは小ジハードから大ジハードに戻る」と語ったといいます。

ジハードとは
アラビア語のジハードは、もともと戦争とは関係ない。ジハードとは「努力」することを意味

小ジハードとは、信仰や正義のためにイスラムの敵と戦うこと。「外へのジハード」ともいい、日本語の「聖戦」はこれにあたります。コーランには、異教徒と戦うことを強い調子で鼓舞する言葉が記されていますが、それと同時に、敵が戦いをしかけてこない限り戦わない、敵がやめれば戦いをやめる、など不要な戦いを禁じてもいます。小ジハードは、あくまで防衛のための戦いであり、私利私欲に基づく戦いは、悪魔に味方する戦いとして区別されています。

真のジハードは内なる戦い

一方、大ジハードとは、「内へのジハード」ともいわれ、信者一人ひとりの心のなかの戦いをさします。神の道に生きるために、自分の欲望や自我に打ち勝ち、善行に励む努力をする。これこそが本来のジハードであり、イスラム教徒の目指す道です。

したがって、ジハードという言葉を掲げてテロや暴力を正当化する過激派の行為を、一般のイスラム教徒は認めていません。

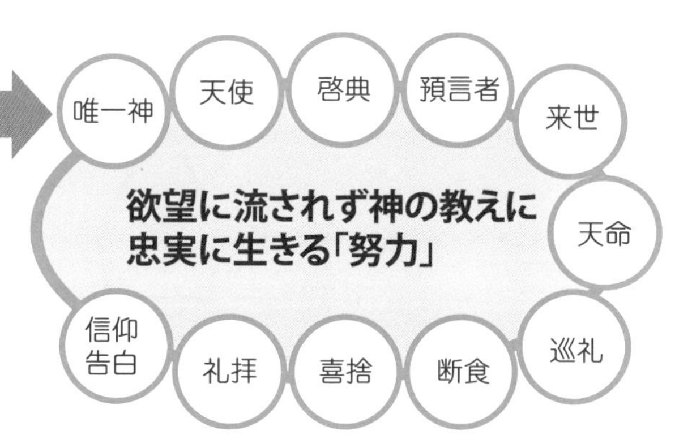

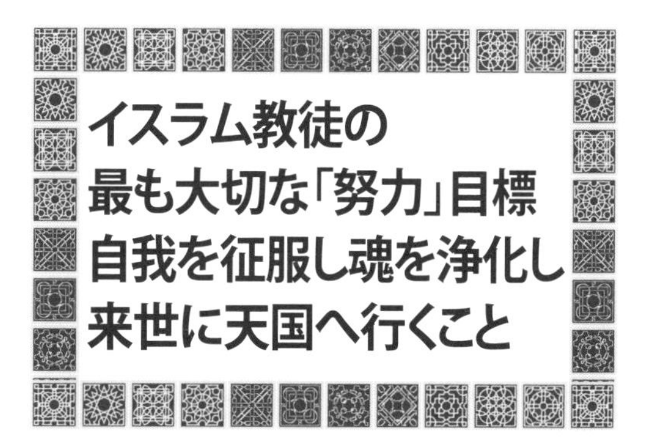

「正しい戦い」が開始されるには厳しいルールがある

- 相手が先に攻撃をしてきた
- 相手の不当な扱いに忍従してきた
- 家・土地から追放された
- 信仰を理由に迫害を受けている
- 信仰の聖地を破壊された
- 宗教的権威者によって「聖戦」が宣言されている
- 抑圧された人々から助けを求められている
- 平和条約が破られ、侵略されている

戦い方にも厳しいルールがある

- 老人、子ども、女性を殺すことを禁ずる
- 約束を破ってはならない
- 聖職者を殺してはならない
- 背を向けた者を殺してはならない
- 負傷者を殺してはならない
- 誰であれ扉を閉めた者を攻撃してはならない
- もし相手が戦いをやめたなら、敵対してはならない
- 捕虜は武器を置いた後は、温情によって解放するか、身代金を取る
- 貧者と孤児と捕虜には、食物を与えること

世界の国々が過去に、そして現在も行っている戦争は、邪悪な戦い。権力欲、領土欲、私利私欲による戦争はシャイターン(サタン)に味方するもの

イスラム教徒は、復活の日に、正しい「ジハード」で殉教した者は天国へ。悪魔の戦いで死んだ者は、地獄の業火の中に投げ入れられると信じている

Part 2 イスラム教の基礎知識 ⑩

イスラム教の2大宗派 スンナ派とシーア派

ムハンマドの後継者問題から分裂

キリスト教や仏教と同様、イスラム教にも複数の宗派があります。なかでも２大宗派として知られるのが、スンナ派とシーア派。両宗派は、教義が大きく違うわけではなく、ムハンマド亡きあとのイスラム共同体を誰が率いるべきか、という後継者問題が発端になって分裂したものです。

ムハンマドには息子がいなかったこともあり、その後継ぎは信者たちの合意によって代々決められ、カリフ（後継者）の名で呼ばれました。第４代カリフに選ばれたのは、ムハンマドのいとこであり娘婿でも

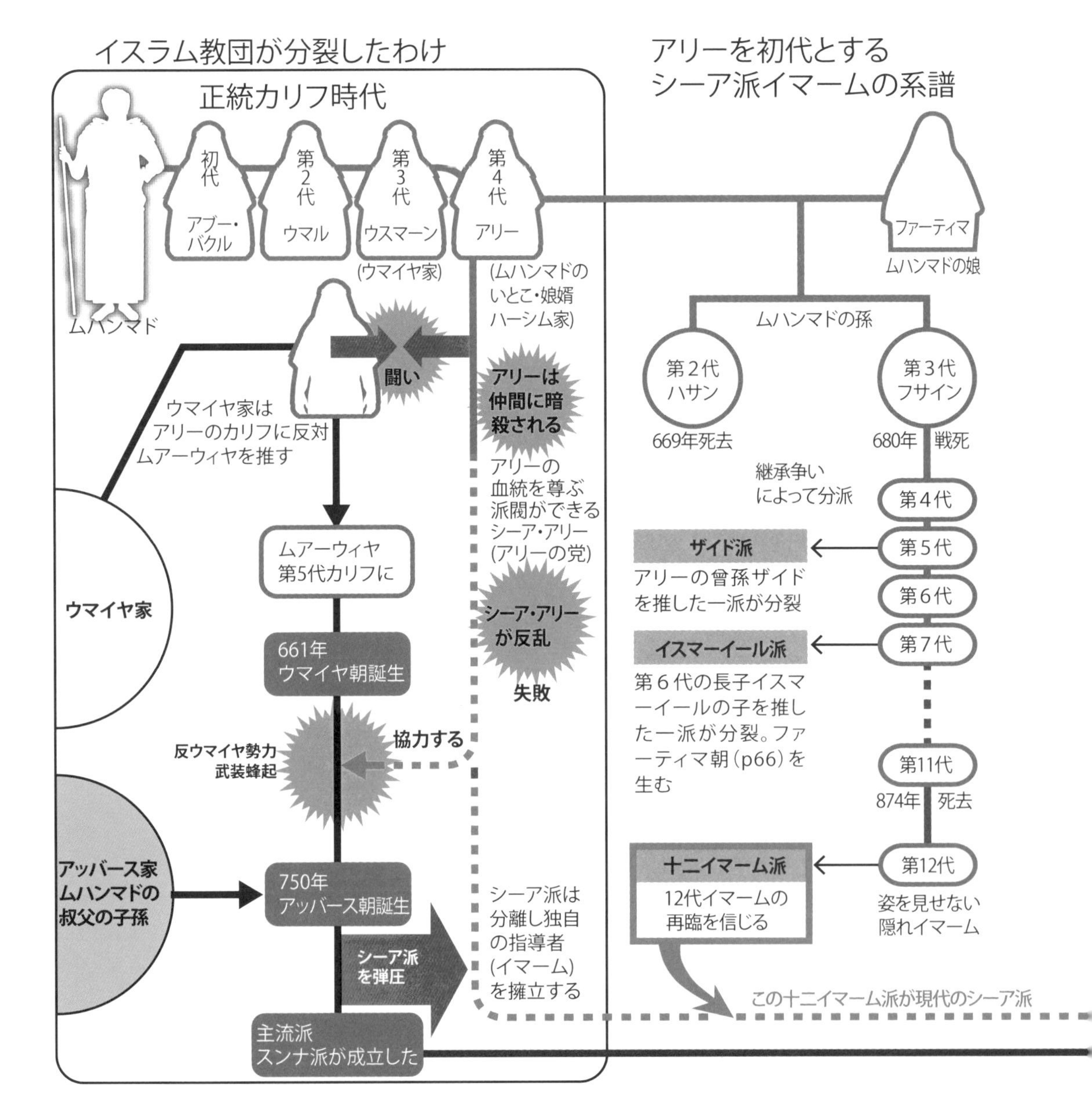

あったアリー。それを認めないウマイヤ家ムアーウィヤと対立して戦いますが、アリーは離脱した仲間に暗殺されてしまいます。ムアーウィヤは第５代カリフとなり、以後、カリフの座は世襲されていきました。

これに反発し、ムハンマドの血縁者であるアリーとその子孫のみを指導者（イマーム）とする一派が分離。これがシーア派の始まりです。一方、歴代のカリフを認める多数派は、ムハンマドの言行（スンナ）を忠実に守って共同体の団結に重きをおき、スンナ派と呼ばれるようになりました。

現在イスラム世界の約９割を占めるのはスンナ派ですが、スンナ派が正統派でシーア派が異端というわけではなく、両者は互いに認め合っています。

なお、宗派ではありませんが、厳格な規則より心の内面を重視するのが「スーフィズム（イスラム神秘主義）」です。これは神秘的な体験を通して神と一体化する境地を目指すもの。神をより身近に感じられるため、12世紀以降、大衆の間に浸透しました。

シーア派

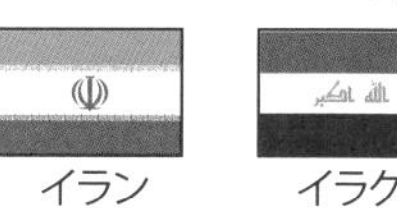

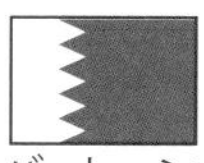

シーア派が人口の過半数を占める国は現在4カ国。その他の国にも一定数分布する

第4代カリフのアリーとその子孫以外のカリフを認めない。それ以外は不正な社会であり、変革しなければならないと考える

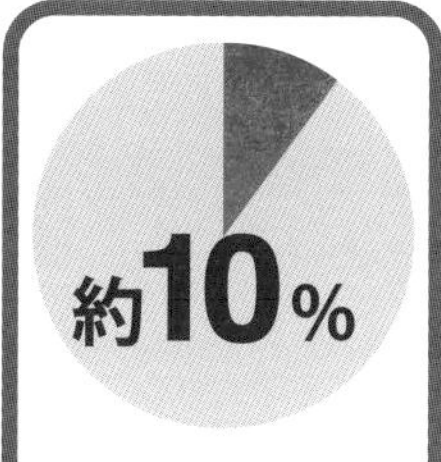

約1.7億人

オスマン帝国のスンナ派に対抗し、イラン人がシーア派を支持。現在もイランを中心に、イラク、バーレーンなどに多い

スンナ派

その他多数

ムハンマドの教えを忠実に守り、イスラム共同体（ウンマ）の合議制を尊ぶ現実主義的な一派

15.3億人

イスラム世界の大部分の人々が属する、世界最大の宗教セクト。スンナ派のなかでも、いくつかの法学派に分かれる

民衆に寄り添う母の顔をもつイスラム神秘主義スーフィズム

10世紀、厳格な六信五行の教義が確立すると、その反動で心の内面を重んじ、神との合一を求めるイスラム神秘主義（スーフィズム）が誕生。修行を積んだスーフィーは、雨降らしや病気治癒などの奇跡を起こし、神と人とをとりなす聖者として民衆を引きつけた。土着信仰となじみやすいスーフィズムは、イスラム教の世界布教に大きく貢献した

インドネシアにイスラムを根づかせた９聖人

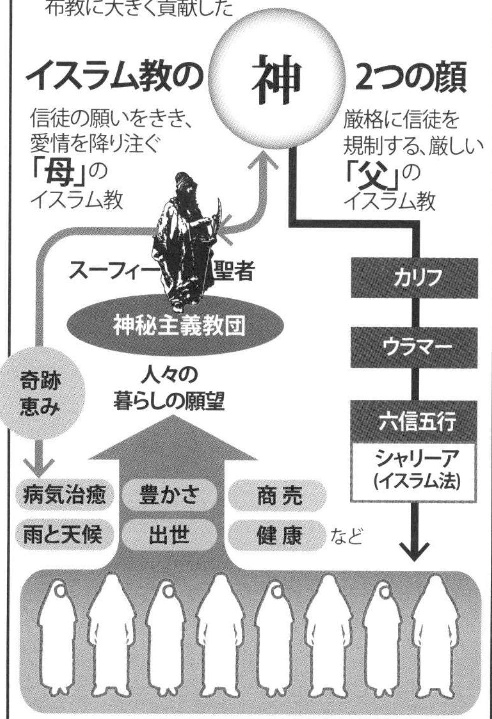

Part 3
イスラム教徒の暮らしと文化 1

イスラムはライフスタイル 戒律を守るのも生活の一部

厳しさのなかにある柔軟さ

イスラム教は戒律が厳しい宗教というイメージがありますが、国によって程度はさまざま。インドネシアやマレーシアなどアジア諸国はゆるく、中東諸国は厳しい傾向

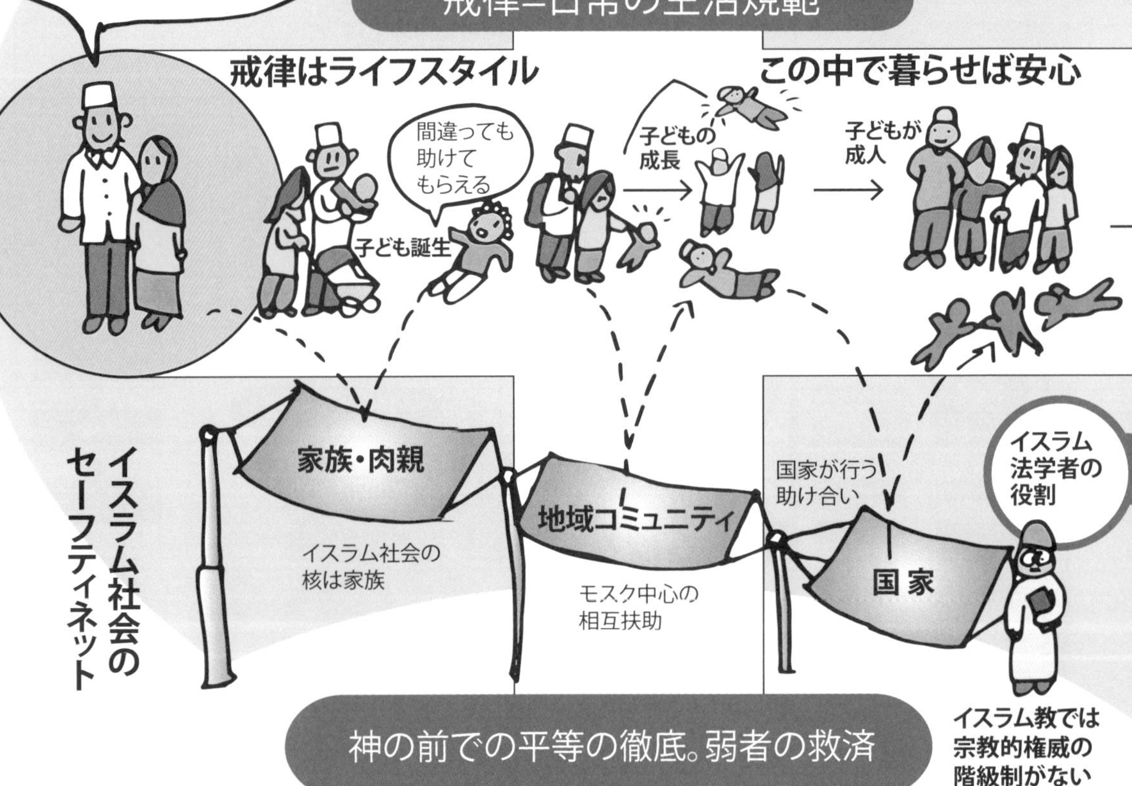

があります。なかでもサウジアラビアは、厳格さで知られていますが、女性の服装規定や自動車運転禁止を廃止するなど、時代とともに変わりつつあります。

じつはイスラム教は、寛容で柔軟な宗教です。コーランには「○○しなければならない」と命じる言葉が多く見られますが、続けて、例外を認めたり、できない場合の代案を示したりして猶予を与えています。コーランの解釈にも幅があり、決して無理を強いるものではないのです。

イスラム教では、すべては神が決めたことであり、コーランに従っていれば天国に行けると信じられています。厳しく思える戒律も、人を正しく導くために神が定めた決まりごと。それに従うのは、伝統的なしきたりを守るのに似て自然なことで、生活習慣の一部になっているのです。そのためイスラムは、宗教であると同時に、ひとつのライフスタイルだともいわれます。

イスラム教諸国は自ら命を絶つ人が少ない

世界各国の人口10万人あたりの自殺者数の比較

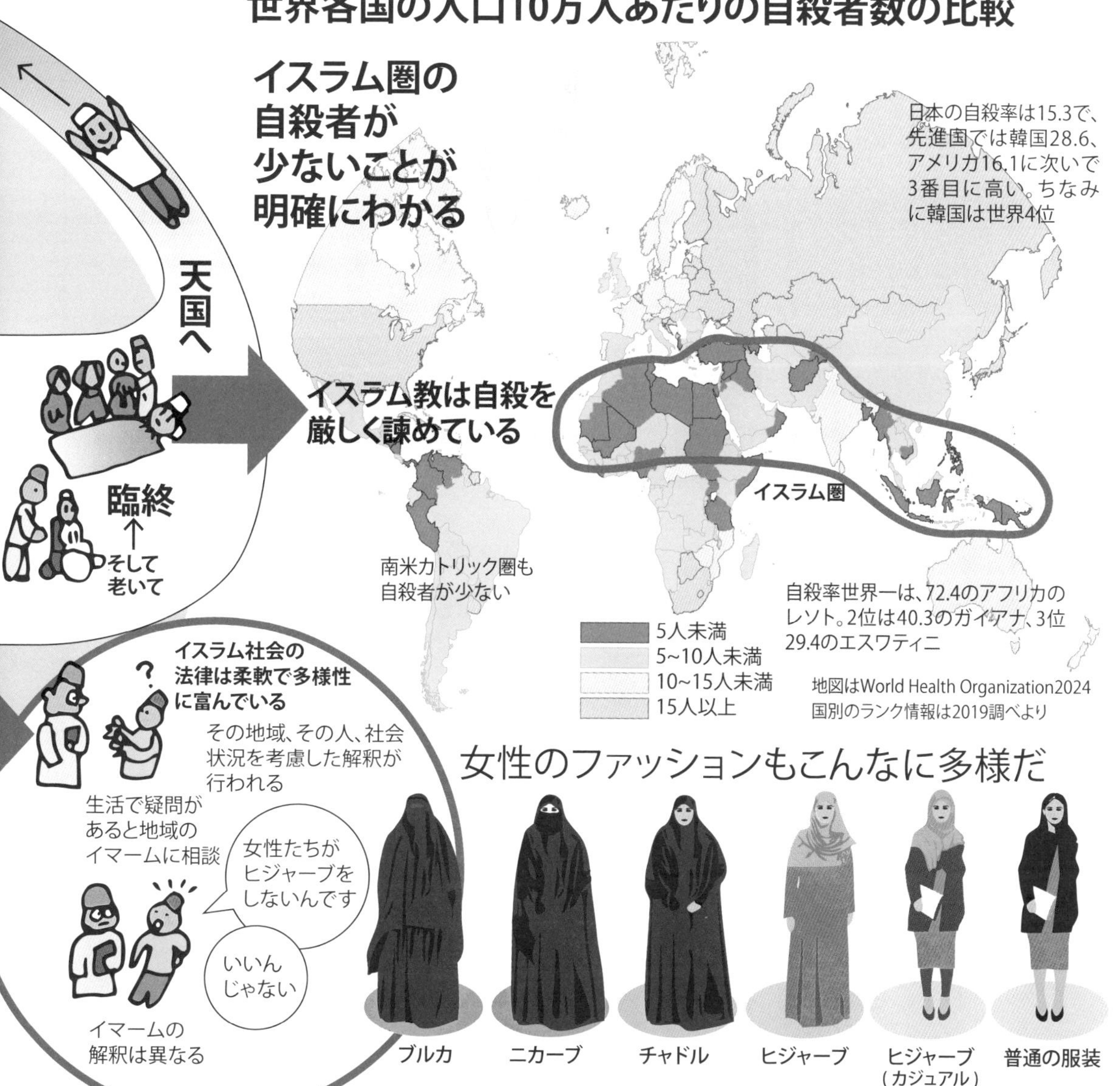

Part 3
イスラム教徒の
暮らしと文化
②

1日5回の礼拝を通して アッラーと向き合う

金曜礼拝はモスクで集団礼拝

ムスリムの大切な務め、「五行」のなかでも特に重要なのが礼拝（サラート）です。礼拝は1日5回、日の出前、正午過ぎ、遅い午後、日没後、就寝前に行います。

礼拝は信者一人ひとりが神と向き合う行為なので、必ずしもモスク（礼拝所）に赴く必要はなく、自宅や職場など、清潔な場所であればどこで行ってもよいとされています。ただし、イスラム教で聖なる日とされる金曜日の正午過ぎには、モスクで集団礼拝が行われ、女性は任意ですが、成人男性は参加が義務づけられています。

画面はMuslim Proより

イスラム教徒にとって清潔は最も大切なこと

まず、手首から先を3回洗います。指の間も洗いましょう

次に、洗った手で水をすくい、口を3回ゆすぎます

鼻に水を吸い入れて、鼻をつまみ水を出し中を洗うのを3回

顔を洗います。額から顎まで丁寧に3回洗います。ヒゲがあればヒゲの中まで

腕を洗います。右腕を肘まで3回

左腕も肘まで丁寧に3回洗いましょう

頭を水で清めます。まず髪の生え際

そのまま頭の後ろまでなでつけるように

後ろから前に手を戻します

両方の耳も洗います

最後に、両方の足も踵から先を3回洗います

メッカに向かって手順通りに行う

礼拝の際は清潔な服をまとい、始める前には水で身を清めるウドゥー（小浄）を行います。また、どこにいても礼拝はキブラ（メッカのカーバ神殿の方角）に向かって行わなければなりません。これはコーランに「汝の顔を聖なる礼拝所の方角に向けよ。おまえたちがどこにいようと、この方角に向けよ」（２章144節）とあるからです。

礼拝の手順も、事細かに決められています。礼拝のひとつの単位をラクアといい、直立（キヤーム）、立礼（ルクーウ）、平伏（サジダ）、座位（カアダ）の４つの動作と決められたアラビア語の祈りの言葉によって構成されています。これを何ラクア行うかも礼拝ごとに決められています。

現代の暮らしのなかで１日５回の礼拝は大変そうに思えますが、ムスリムにとっては生活の一部。１回につき５～10分程度ですし、気分転換になって心が落ち着き、生活にメリハリがつくともいわれています。

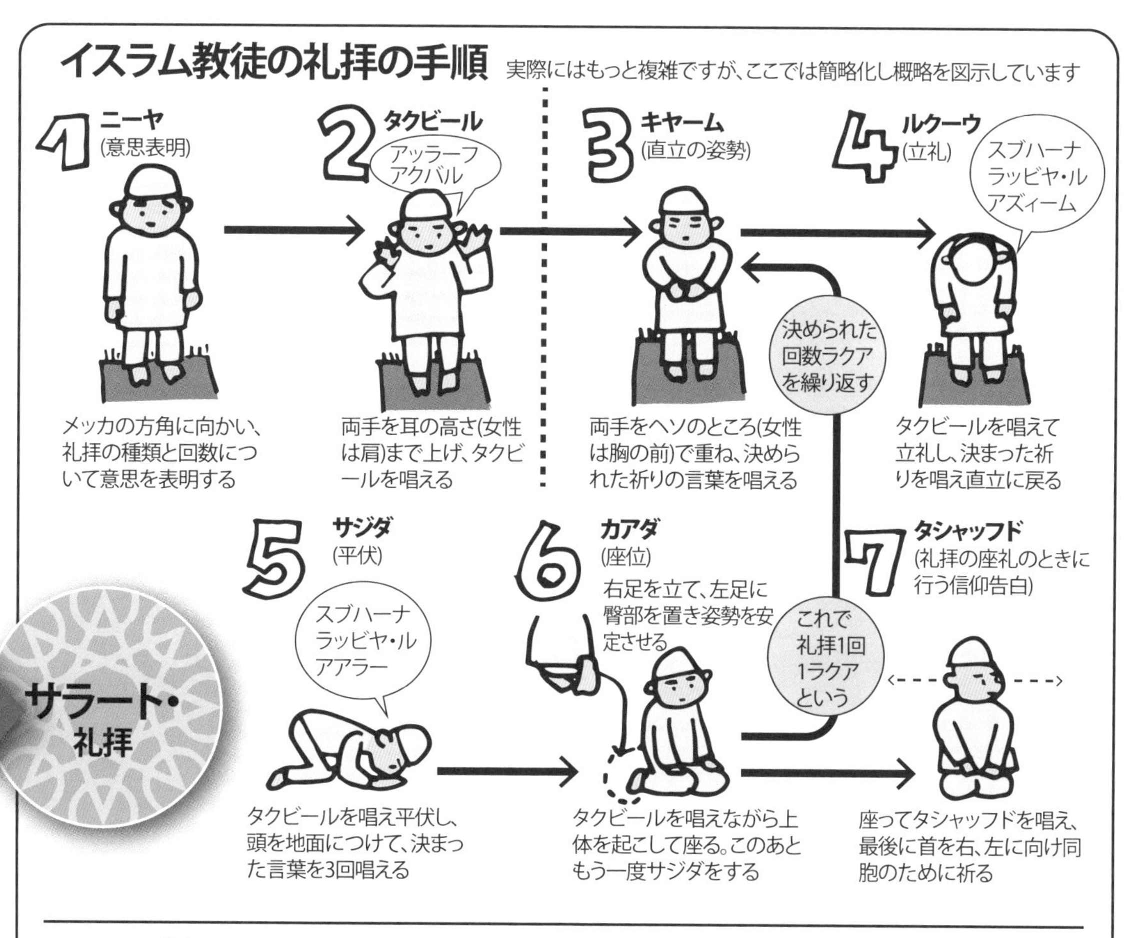

コーランは礼拝についてこう書く

「礼拝を守れ、礼拝は、みだらなことや悪事を避けるもの。神の御名を唱えることこそ最大の務め」(29章45節)

「集会の日に礼拝への呼び声をかけられたら、神の祈りへと急いで行くがよい。取引きは捨てておけ。もしおまえたちが知っているのであれば、それがもっともためになることだ」(62章9節)

聖なる金曜の礼拝

ハディースによれば、最初の人類アーダムが創造された日、楽園に入れられた日、楽園から追放された日はいずれも金曜日であり、審判の時も金曜日に起こる。イスラム教徒は最後の啓典の民であるが、復活の日には最初に楽園に入る。そのためイスラム教徒には金曜日、ユダヤ教徒には土曜日、キリスト教徒には日曜日が礼拝の日として定められたという

1日5回の礼拝の時刻と回数

礼拝	時刻	回数
ファジュル	(日の出前)	2ラクア
ズフル	(正午過ぎ)	4ラクア
アスル	(遅い午後)	4ラクア
マグリブ	(日没後)	3ラクア
イシャー	(就寝前)	4ラクア

イスラムの礼拝所モスクは信者が集うコミュニティセンター

イスラム教徒の心の寄りどころ

イスラムの礼拝所は英語でモスク、アラビア語でマスジドと呼ばれます。マスジドは「ひれ伏す場」を意味し、ひれ伏す動作（サジダ）は、神への服従を表します。

預言者ムハンマドは、622年にメッカからメディナに移るとモスクを建設。それがいまも残る「預言者モスク」と「クバーモスク」です。以来、イスラムの勢力が及んだ地域には、どんな小さな町にもモスクが建てられるようになりました。

モスクの建築様式と規模は、時代や地域によりさまざま。世界遺産に指定されてい

イスラム教徒にとって神聖なモスクをちょっと訪ねてみよう

神戸モスクは日本最古のモスク 1935年に建てられた

神戸ムスリムモスク(通称・神戸モスク)は、1935年(昭和10年)に、神戸在住のインド人、トルコ人、そしてロシアからのタタール人たちによって建てられた、日本で最初のモスク。第一次世界大戦の余波により、神戸に移住するイスラム教徒が増加し、モスク建設が熱望された。建設費はインド商人を中心に募金され、貧しいタタールの人々も寄付に協力した。1934年11月に着工し、1935年7月に竣工した。この堅牢なモスクは、1945年の神戸大空襲で焼失を免れ、1995年の阪神・淡路大震災でも倒壊せず、日本最古のモスクの姿を伝えている

礼拝所の正面中央にミフラーブ、右側に説教壇であるミンバルがある。シャンデリアの輝きが美しい

1階中央から見上げた2階の女性専用バルコニー。モスクでは男女別室、女性はヒジャーブ着用が原則

ミフラーブに向かって右の壁に「アッラー」、左に「ムハンマド」と書かれたメダリオンが掛かる。写真は「アッラー」

注・図は一般的なモスクの大まかな構造を示すものであり、神戸モスクの正確な見取り図ではありません

る壮麗なモスクも少なくありません。また、聖なる金曜日に集団礼拝が行えるよう、大人数を収容するモスクはジャーミー（金曜モスク）、公共の場や職場に設けられた簡素な礼拝所はムサッラーとも呼ばれます。

イスラム教は偶像崇拝を禁じているため、モスクの内部には、絵画や像などはいっさいなく、かわりにコーランの言葉を書いたアラビア書道や幾何学模様に彩られています。モスクに必ずあるのは、キブラ（メッカのカーバ神殿の方角）を示すミフラーブと呼ばれる壁のくぼみ。また、礼拝前に身を清めるために、洗い場も設けられています。このほか、イマーム（イスラムの指導者）が説教を行うミンバル（説教壇）、アザーン（礼拝の呼びかけ）を行うためのミナレット（尖塔）を備えるモスクもあります。

モスクでは、冠婚葬祭や子どもたちのイスラム勉強会、断食明けの食事会なども行われます。モスクは礼拝の場であると同時に、地域のムスリムたちのコミュニティセンターのような役割も担っているのです。

礼拝堂の壁に開けられたミフラーブ。メッカの方角を示している

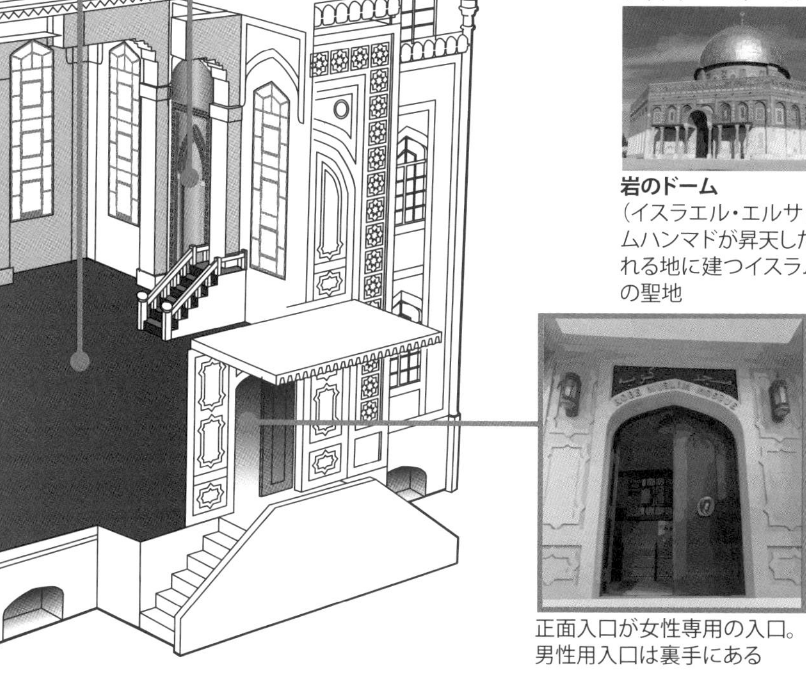

正面入口が女性専用の入口。男性用入口は裏手にある

世界の有名なモスク紹介

スレイマニエ・モスク
（トルコ・イスタンブール）

ティリャー・コリーモスク（ウズベキスタン・サマルカンド）

岩のドーム
（イスラエル・エルサレム）
ムハンマドが昇天したとされる地に建つイスラム教の聖地

預言者モスク
（サウジアラビア・メディナ）

ウマイヤ・モスク
（シリア・ダマスクス）

ジャーマー・マスジド
（インド・デリー）

Part 3 イスラム教徒の暮らしと文化 ④

ラマダン月の断食で心身をリセットする

日の出から日没まで欲を断つ

ヒジュラ暦（イスラム暦）の第9月はラマダンと呼ばれます。コーランには「コーランが下されたのは、ラマダンの月である。この月に在宅するものは、断食しなければならない」（2章185節）とあり、ラマダン月になると世界中のムスリムは、1カ月間の断食（サウム）を行います。この期間は断食だけでなく、嘘や悪口を慎み、善行に努めることも求められています。

断食は毎日、日の出から日没まで続き、水を飲むことも禁止。ただし、幼児や高齢者、病人などは免除されますし、どうして

もこの月に断食できない人は、寄付することで断食に替えることもできます。

断食明けの食事の楽しみ

断食には、食べ物への感謝の思いを新たにする、貧しい人の気持ちを理解する、欲に打ち勝ち精神力を養う、などさまざまな意義があるとされています。つらい修行のように思えますが、意外にもラマダンを楽しみにしているムスリムは多いもの。その理由のひとつは、断食明けのごちそうです。

日の出前に食事をとったあとは、ひたすら我慢。そのかわり日没になると、断食明けの食事がモスクでふるまわれたり、自宅で家族みんなでごちそうを囲んだりするため、断食月にはかえって太ってしまう人も。さらに、１カ月の断食を終えると、イスラムの２大祝祭のひとつ、イード・アルフィトル（断食明けの祭り）が待っています。家族や友人が集って、ごちそうを囲み、気持ちを新たにする。ちょうど日本の正月にも似た晴れの日なのです。

じつはラマダンを楽しみにしている

ここから1カ月間、全世界のイスラム教徒は一斉に断食を実践する

ヒジュラ暦は西暦622年を元年として、１カ月を29日(偶数月)と30日(奇数月)とし、1年を354日で数える太陰暦。このため太陽暦とは、1年で約11日ずつずれていく。ラマダンの開始時期もずれていき、季節も異なる

ラマダンの効用はたくさんある

断食は人間の徳を高める
断食は慈悲の心を育む
断食は神からの恵みを教える
断食は人間を健康にする
断食は人間に忍耐を教える

ラマダンが終わった さあ、お祝いだ

この祭りの３日間、特別の料理が用意され、親戚・知人を招き贈り物をして共に過ごす。また貧しい人々への施し、病人への見舞いなども推奨される

ラマダン明けのお祭り イード・アルフィトルは イスラム教徒のお正月

断食月が終わり新月が出た朝、イード（祭り）が始まる

人々は早朝に斎戒沐浴し清潔な晴れ着に身を包み、香水をつけ、甘い朝食のあと礼拝に繰り出す

このイード・アルフィトルのあとにもうひとつの祭り イード・アルアドハー(犠牲祭)が待っている

詳しくはp45

Part 3
イスラム教徒の暮らしと文化
⑤

ムスリムの人生最大の目標 一生に一度はメッカ巡礼

巡礼月に行われる集団巡礼

ムスリムが一生に一度はやり遂げたいと願うのが、聖地メッカへの巡礼（ハッジ）です。巡礼は五行のひとつですが、決して義務ではなく、経済的にも体力的にも無理のない人が行えばよいとされています。

巡礼が行われるのは、ヒジュラ暦（イスラム暦）第12月ズー・アルヒッジャ月の８日から12日。この時期には世界中から毎年200万人以上のムスリムがメッカを訪れます。メッカにはムスリム以外は立ち入り禁止。海外からの巡礼者は、サウジアラビア政府からハッジ・ビザを取得して、巡

メッカへの大巡礼 ハッジのご案内 THE HAJJ GUIDE 大巡礼・ハッジとは

大巡礼は年１回、ヒジュラ暦第12月の8日から12日にかけて実施される。これをハッジと呼ぶ。全世界のイスラム教徒が熱望する巡礼のため、サウジアラビア政府の発行する巡礼ビザの取得に時間がかかる。この大巡礼とは別に、個人的にいつでも自由にカーバ神殿に参ることができる。これはウムラ(小巡礼)と呼ばれる

巡礼者は12月7日までにメッカに入り、カーバ神殿での神事を行う

カーバ神殿
伝承によれば、最初の人類アーダムとその妻が建立。ヌーフの時代に洪水で失われたが、イブラヒームが再建。その後多神教の神殿となったが、預言者ムハンマドがメッカを征服した際、偶像を破壊。以来イスラム教の聖地となった

神事=サアイ
タワーフのあとに行う神事。サファーとマルワの丘の間を7往復する。伝承によると、イブラーヒームが神の命によって女奴隷ハガルと息子を砂漠に置き去りにした。ハガルが水を求めて丘の間を7往復すると、天使が現れ、泉が湧いたという

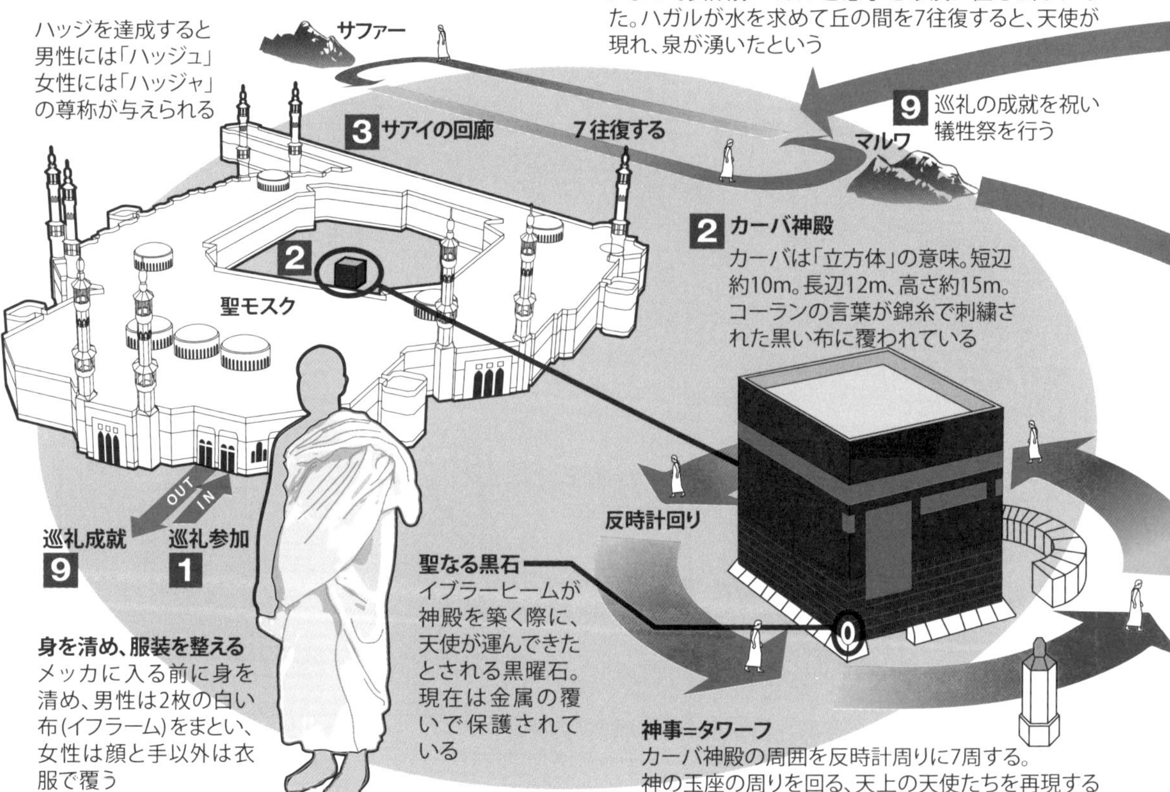

礼月７日までに現地入りします。

コーランの故事に由来する儀式

メッカに着いた巡礼者は、男性は白い布、女性は簡素な服をまとい、カーバ神殿に参拝。カーバの周りを7周したあと、近くにあるサファーとマルワという丘の間を７往復し、集団で行われる大巡礼に備えます。

いよいよ巡礼月８日を迎えると、巡礼の拠点ミナーに移動します。翌９日は巡礼のハイライト。アラファで早朝から日没まで祈り続け、神を讃えるとともに、これまでの罪の赦しを乞います。そして巡礼月10日から12日までは、投石の儀式。悪魔に見立てた柱に石を投げ、厄を払います。この期間はイスラムの２大祝祭のひとつ、イード・アルアドハー（犠牲祭）にあたり、巡礼者は動物を捧げて巡礼の終わりを祝います。これは預言者アブラハム（イブラーヒーム）が息子を犠牲に捧げようとした故事にちなむもの。巡礼の儀式も、その多くがコーランに書かれた故事に由来しています。

12月8日より12日までの大巡礼の行程

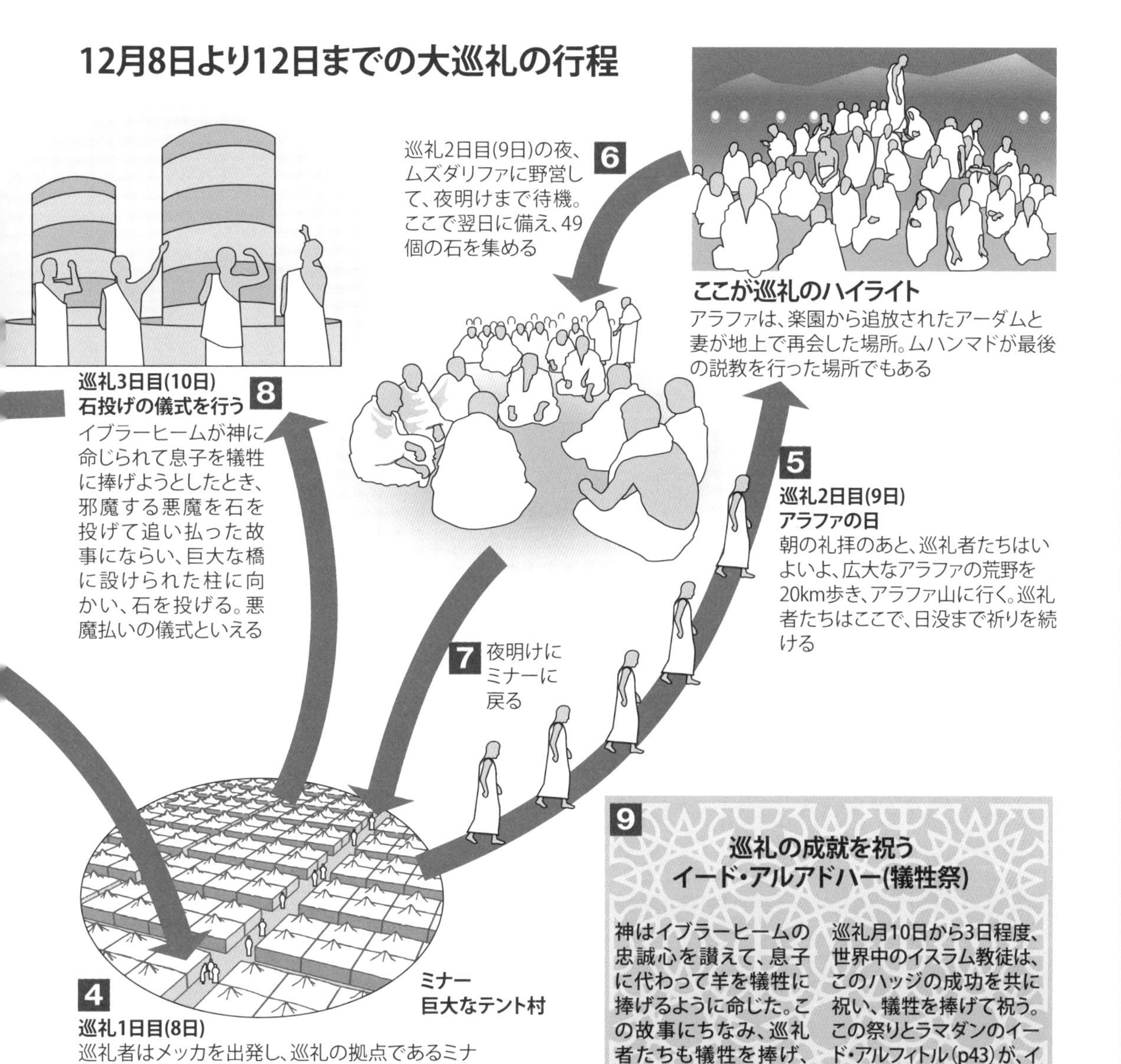

9 巡礼の成就を祝う イード・アルアドハー(犠牲祭)

神はイブラーヒームの忠誠心を讃えて、息子に代わって羊を犠牲に捧げるように命じた。この故事にちなみ、巡礼者たちも犠牲を捧げ、ハッジの成功を祝う。

巡礼月10日から3日程度、世界中のイスラム教徒は、このハッジの成功を共に祝い、犠牲を捧げて祝う。この祭りとラマダンのイード・アルフィトル(p43)が、イスラム教の2大祝祭

Part 3 イスラム教徒の暮らしと文化 ⑥

イスラム独自の社会福祉 喜捨によって弱者を支援

コーランが禁じた富の独占

イスラム教では、富める人が貧しい人を経済的に援助することが当然の務め。それが五行のひとつ、ザカート（喜捨）です。

コーランは、ザカートの必要性をたびたび説き、富をひとり占めすることを戒めています。すべてのものは神のものであり、自分が築いた財産も神から一時的に預かっているだけ。ザカートには「浄化」という意味もあり、同胞と分かち合うことで、蓄財が清められると考えられているのです。

ザカートは、サダカと呼ばれる自発的な寄付とは異なり、具体的な金額まで決めら

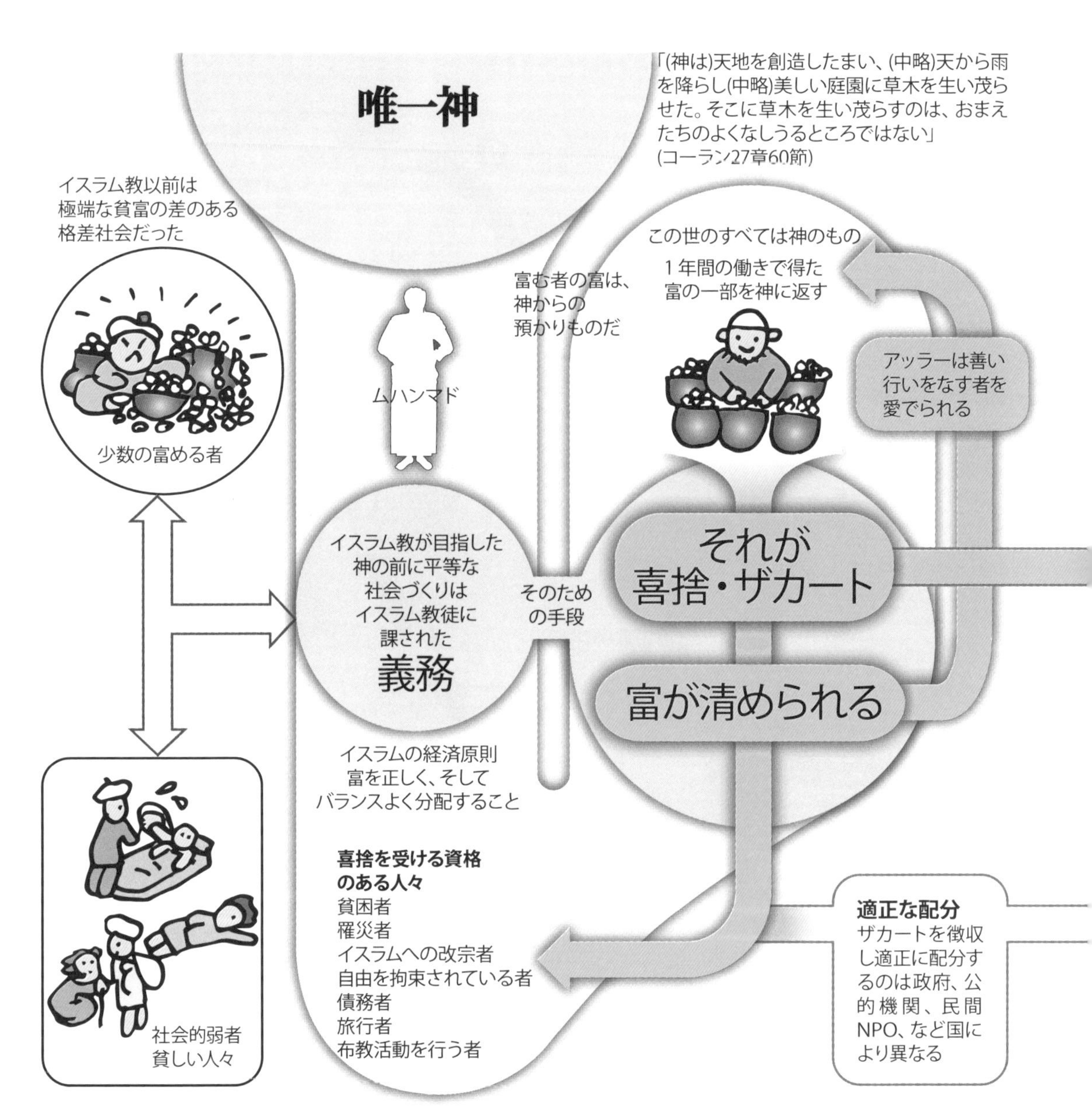

れています。一般に、一定基準を超える所有財産をもつ人は、その2.5%を毎年ザカートとして支払います。また、ラマダン月の終わりには、貧しい人も断食明けの祭りをともに楽しめるよう、ザカート・アルフィトル（断食明けの喜捨）として、一定量の食べ物やお金を寄付します。

助け合って格差を是正

オスマン帝国時代まで、イスラム世界では、国家によってザカートが税金のように徴収されてきました。現在でも、イスラム国家のサウジアラビアやパキスタンでは、ザカート税が徴収されていますが、多くの国では公的機関や福祉団体、イスラム関連団体などがザカートを徴収。貧しい人や失業者、被災者などへの支援、教育事業やモスクの改修費用などにあてられています。

もともとイスラム教は、貧富の差が生じた時代に平等社会を目指して生まれたもの。ザカートによる助け合いの精神は、イスラム社会を支え、経済をも動かしています。

ザカートの仕組み

昔はラクダや羊で納めていた

ザカートの義務を負う人は

成人イスラム教徒の男女で、金87.48g、または銀612.36gの時価に相当する財を、1年間所有している人

所有する財を以下の比率でザカートする

現金	2.5%
農産物	5~10%
金銀装飾	価格の2.5%
商品	価格の2.5%
埋蔵財貨	20%

ザカートの金額を計算してくれるPC、スマホアプリも用意されている

ザカート

自己申告し納入する

近代的税法をもつイスラム教国では、公的機関、民間NPOなどに納入する。インドネシアではこのザカートを徴収・管理する団体が多数存在していたが、近年、これが統合され全国ザカート管理局が設置された。その一方で独立系の民間管理団体(LAZ)などが、マイクロファイナンスを行っている

税金として徴収される

サウジアラビア、バーレーン、パキスタンなどの国は、国家が税金として徴収する

義務ではない自由意志の喜捨もある

サダカ 自由喜捨

義務ではなく、経済的に余裕のある人が、自分の意志で希望する団体に喜捨をする

ザカート・アルフィトル(断食明けの喜捨)

断食明けの祝いのために、貧しい人たちにする喜捨。自宅で祝いをする余裕のある家庭では、その人数分の喜捨をする。ナツメヤシか小麦、それに相当する1人あたり1500円程度

ワクフ　イスラム社会の公共施設を支える喜捨

都市のモスクやマドラサ(学校)、病院、公衆トイレ、水飲み場などの公共施設の運営のためになされる寄付。寄進者の不動産などをワクフとして設定し、そこからの収益を指定した施設が得る仕組み

少年たちがコーランを学ぶマドラサも人々の寄付で維持されている

Part 3
イスラム教徒の暮らしと文化
⑦

豚肉やお酒は禁止でも豊かなイスラムの食文化

コーランが禁じた食べ物

イスラム教といえば、豚肉を禁じるなど、食の戒律が厳しいことで知られています。これはコーランが、死肉、血、豚肉、神以外の名によって犠牲にされたものなどを、不浄なものとして食べることを禁じているからです。豚以外の動物でも、できるだけ苦しまないよう、決められた方法で屠畜することが求められています。

厳しく思えますが、特定のものを避ければいいだけ。イスラム世界では、古くから土地ごとに豊かな食文化が育まれてきましたし、現在は戒律に則した「ハラール食品」

も充実しています。ちなみにうっかり禁じられたものを食べてしまっても、コーランはとがめていないので、罰則もありません。

お酒がわりにコーヒーとお菓子

イスラム教では飲酒も禁じられていますが、これは酔っぱらうと信仰生活が疎かになり、神から心が離れてしまうため。その一方でコーランには、天国には酒の川があり、悪酔いの心配もなく美酒に酔える、とも書かれています。矛盾しているように思えますが、コーランがさまざまなことを禁じているのは現世でのこと。現世で禁を守れば、天国では晴れて解禁されるのです。

お酒のかわりにイスラム圏で好まれるのが、コーヒーと紅茶。コーヒーは、エチオピアからイスラム世界に伝わってコーヒーハウス文化を生み出し、これがヨーロッパに広まりました。コーヒーによく合う甘いお菓子が、イスラム圏ではじつに種類豊富。男性たちが、お菓子片手にコーヒーを飲みながら談笑する光景も珍しくありません。

イスラム教徒はコーヒーと紅茶の豊かな文化を生み出した

コーヒー・紅茶は男たちの社交の飲み物

オスマン帝国時代には多くのコーヒーハウス、茶屋が誕生し男たちの必須の嗜好品となった

コーヒーはイスラム教の修行者から広まった

エチオピアで薬として飲まれていたコーヒーは、15世紀に修行の旅の聖者がアラビア半島に持ち帰り、徹夜の修行に飲用した。しだいに嗜好品としてイスラム教徒に愛飲されることとなった

8世紀のアッバース朝からイスラム社会は世界の美食の中心だった。その伝統はいまに継承されている

コーヒーのお供に　イスラム諸国はスイーツ大国

バクラヴァ／オスマン帝国時代に誕生したトルコの伝統的パイ菓子

（左上から反時計回りに）**デーツ**／コーランにたびたび登場するナツメヤシの甘い果実。ラマダンの断食明けなどに食べる習慣がある　**ロクム**／日本のゆべしに似たトルコ菓子　**パキスタンの郷土菓子**／中央は世界一甘いお菓子といわれるグラブ・ジャムン　**クナファ**／のびるチーズをサクサク生地で包んだパレスチナの名菓　**ワジク**／インドネシアの餅菓子

Part 3
イスラム教徒の暮らしと文化
❽

ハラールは暮らしの基準 神が許したものなら安心

食事だけでなく化粧品や医薬品も対象

イスラム教では、神に許された物事を「ハラール」、禁じられた物事を「ハラーム」といいます。ハラールとハラームは、ムスリムが日常生活を送るうえで大切な判断基準。ハラールかハラームか区別がつかないものは「シュブハ」と呼ばれ、疑わしいものとして避けるよう求められています。

ハラールといえば、前項で見たハラール食がよく知られていますが、食べ物に限りません。化粧品、ヘアケア製品、石鹸、医薬品なども、豚に由来する成分やアルコールが含まれていれば、ハラールではありま

せん。化粧品には豚由来のコラーゲンやペプチドなど、医薬品にはゼラチンやアルコールなどが含まれていることが多いので、ムスリムは細心の注意を払います。

また、成分に問題がなくても、製造過程や輸送過程で禁止されたものに触れてしまったものもハラームです。

世界で進むハラール認証

こうした基準を満たした安全な商品であることを証明するのが、ハラール認証マークです。国際的な統一基準はまだないものの、イスラム教国はもとより、現在では欧米各国や日本にもハラール認証機関が生まれています。非イスラム圏でもハラール認証が進められているのは、ムスリム人口が急増し、巨大な「ハラール市場」を形成するようになったためです。

p14～15で見たように、ハラール市場は、観光、ファッション、メディア、金融など幅広い分野に及び、新しいビジネスとして世界の注目を集めています。

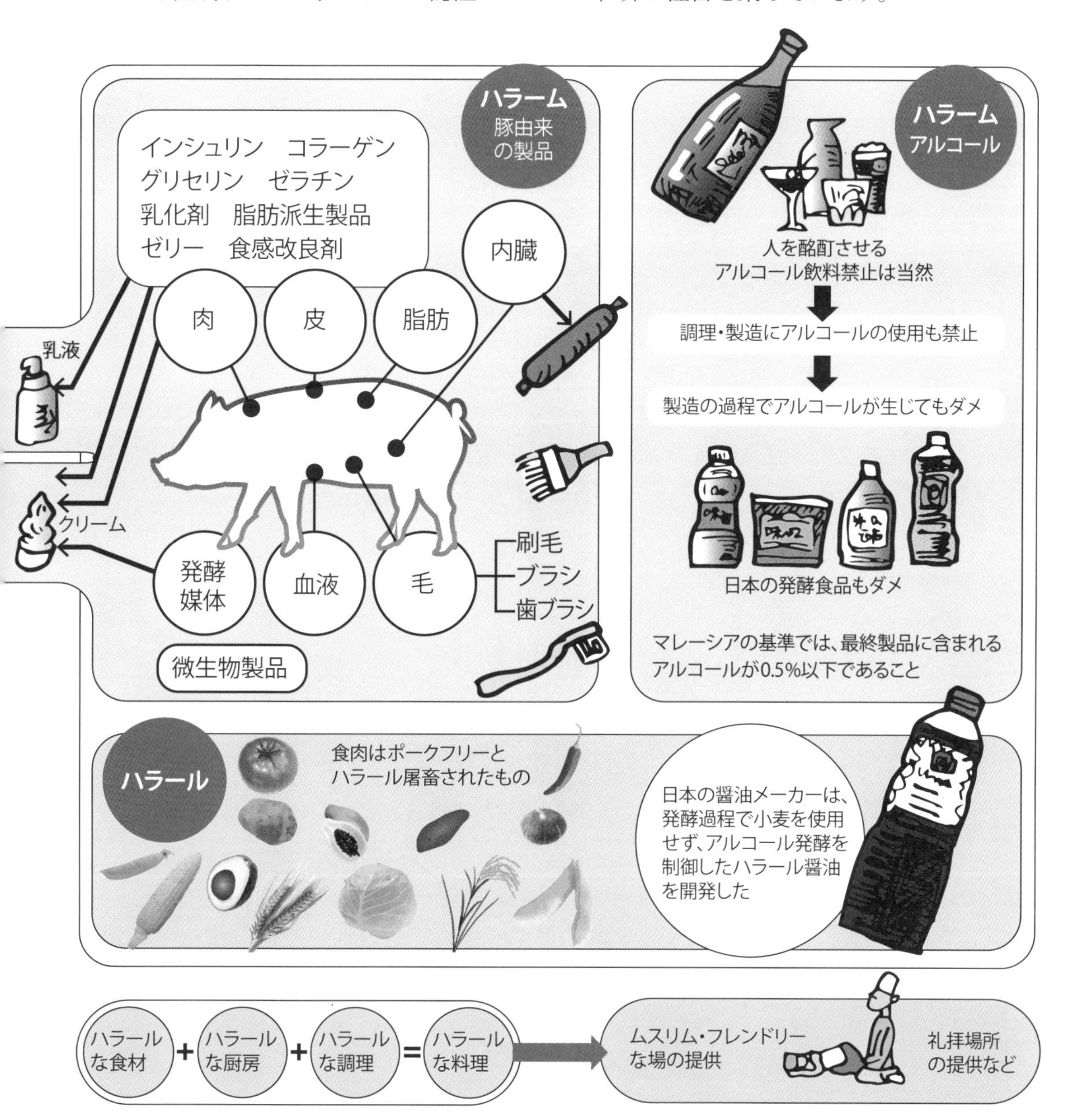

Part 3 イスラム教徒の暮らしと文化 ⑨

コーランが禁じた利子をとらないイスラム金融の仕組み

無利子で運営するイスラム銀行

コーランには「神は商売を許し、利息をとるのを禁じたもうた」（2章275節）とあります。商売に励んで利益を神の道のために使うことは推奨され、お金を貸すだけで利益を得ることは禁止されているのです。

こうしたイスラム独自の理念に基づく金融（資金の融通）を「イスラム金融」といいます。始まりは18世紀のオスマン帝国時代とされ、1970年代以降に中東の産油国がオイルマネーで潤うようになると、イスラムの教義に基づいて運営される銀行、即ち「イスラム銀行」が次々に誕生しました。

金利は悪である　一神教は基本的に金利を禁じていた

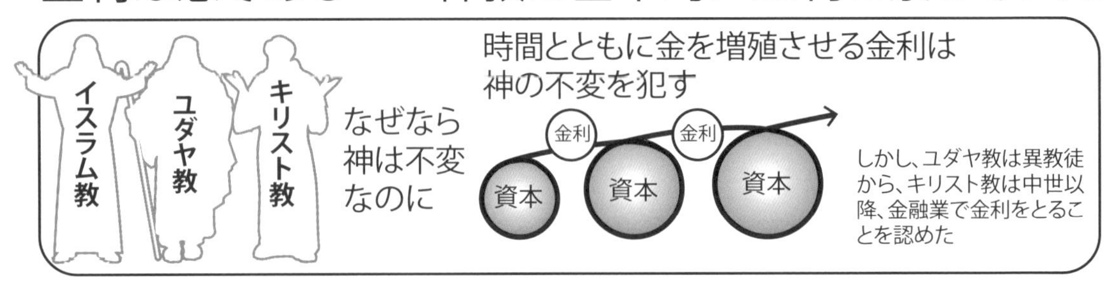

唯一イスラム教だけが神の教えを守っている

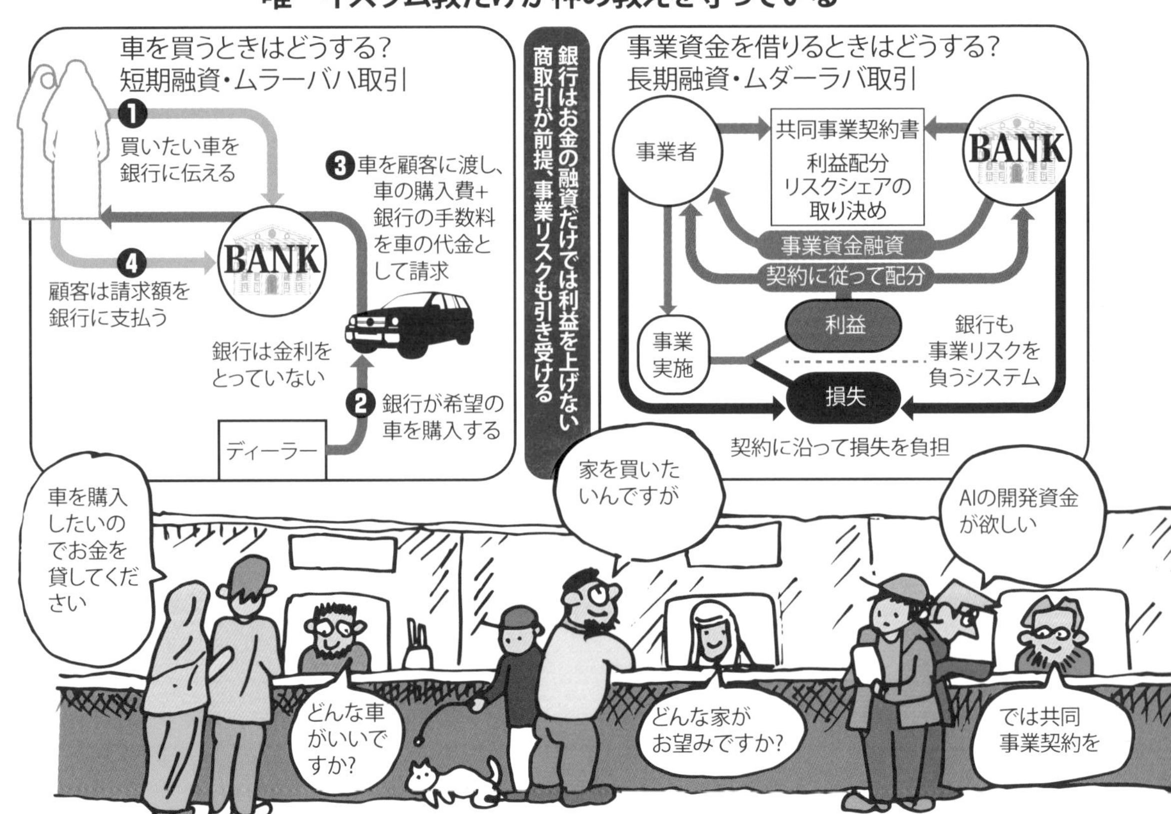

無利子で経営を成り立たせるために、イスラム銀行では、商取引を介して融資する方法、事業者に投資して利益・損失を折半する方法などがとられています。投資先の事業内容が、コーランが禁じる豚肉や酒などに関係していないことも重要な条件です。

イスラムの教えに則した金融商品

銀行業務だけでなく、1990年代以降には、イスラムの理念に反しない企業に投資する「イスラム投資ファンド」も登場。2000年代に入ってからは、「スクーク」と呼ばれる証券が発行されるようになり、急速に成長を遂げています。特に環境や社会のためになるプロジェクトを対象としたスクークは、国連のSDGs（持続可能な開発目標）の理念に沿うものとして、人気が上昇。また、相互扶助を基本とした「タカフル」と呼ばれるイスラム保険も注目を集めています。

世界に占めるイスラム金融の規模はまだ小さいのですが、ムスリム人口増加とともに市場を拡大することは間違いありません。

スクーク（イスラム債）の発行の仕組み

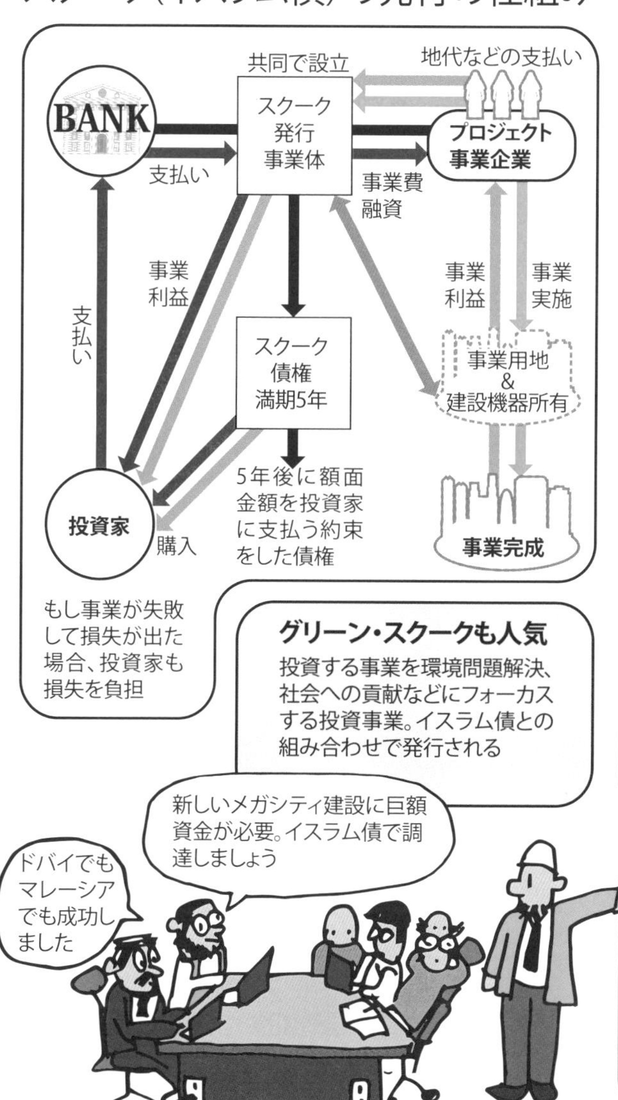

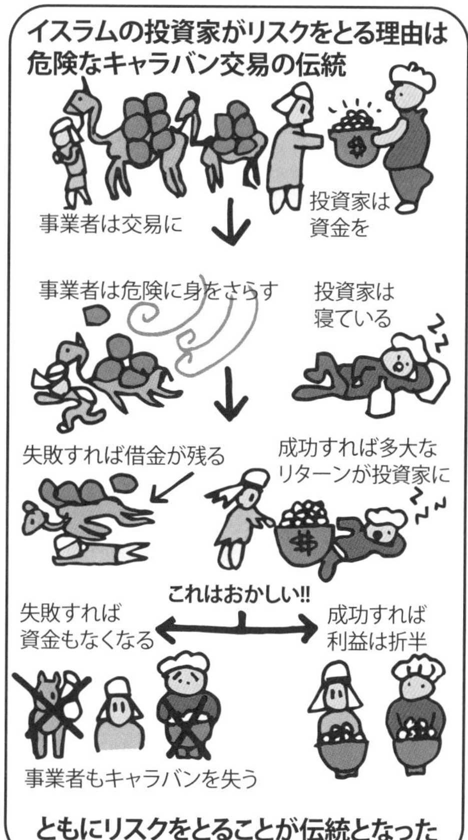

イスラム債を発行するには
事業がイスラム法に反してはいけません

- アルコールに関わる事業ではない
- 豚に関わる、食品、医薬品、化粧品、化学素材事業ではない
- 事業収益が金利収入であってはいけない
- 不確実な事象を前提とする事業ではない
- 投機的利益を求める事業ではない

イスラム社会の女性たち
西欧とは異なる平等のとらえ方

女性の地位を向上させたコーラン

イスラム社会は男尊女卑だと思われがちです。その一例として引き合いに出されるのが、一夫多妻制。確かにコーランには、4人まで妻をめとっていい、とする一節がありますが、これはムハンマドの時代には戦争未亡人が多く、救済する必要があったため。現在のイスラム教国では、一夫多妻制は決して一般的ではありません。

またコーランは、離婚や遺産相続についても、女性が不利にならないよう求めています。イスラム教以前のアラブ世界では、男性が一方的に離婚を言い渡すのが当たり

イスラム教以前の社会は女性蔑視の世界

ユダヤ・キリスト教にもある女性差別

神は土からアダムをつくりだした　神はアダムのあばら骨からイブをつくった　知恵の実をアダムに食べさせるイブ　イブ(女性)のために、人間は楽園を追われた

アラブの部族社会では女性の人権はなかった

結婚・離婚は男の意志しだい

離婚された女性は、ただ放り出された

戦いの場では女性は略奪と暴行の対象

家父長制のアラブの部族社会では、女性は家長の所有物

イスラム教は神の前では信徒は平等、と教えている

「信者は男も女も相身互いで、善行を勧め、悪事を禁じ、礼拝を守り、喜捨を行ない、神とその使徒に服従する。こういう人たちには、神はみ恵みを垂れたもうであろう」(9章71節)

「帰依する男女、信ずる男女、従順な男女、誠実な男女、忍耐する男女、謙虚な男女、喜捨する男女、断食する男女、貞節を守る男女、常に神を念ずる男女、神はこれらに対して、必ずお赦しと偉大な報酬を準備したもう」(33章35節)

1400年も前にムハンマドは女性の人格を認め女性の権利を擁護する多くの言葉を残している

イスラム教は離婚の際の女性の権利を明確にした

1 離婚の前に和解の努力をすべし、離婚を決意しても4カ月は待つように

2 離婚の時、女性に与えたものを奪ってはならない

3 子どもの養育費を支払うように

誤解されている一夫多妻制 それは未亡人と孤児のためだった

625年のウフドの戦いで多くの男が戦死し、沢山の子どもを抱えた多くの女性が未亡人になった。この未亡人と孤児のために「もしおまえたちが孤児を公正に扱いかねることを心配するなら、気に入った女をふたりなり3人なり、あるいは4人なりめとれ」(コーラン4章3節)

しかし、ムハンマドはこうも言った。「しかし、複数の妻を公正に扱えないなら、妻はひとりだけにするように」

前。遺産相続も男系親族にしか認められていませんでした。こうした古い因習を断ち切り、女性にも権利を与えようとしたのがイスラム教だったのです。ムハンマドも繰り返し「女性を大切に」と説いています。

能力に応じた役割を果たす

もっとも、1400年前のコーランの教えは、現代の西欧社会が求める完全なる男女平等とは相いれないかもしれません。男性は家族を守り、女性は家庭を守ることがムスリムの務め。これは女性を家庭に閉じこめるということではなく、男女の適性に応じた役割をそれぞれが責任をもって担うということ。男女の別なく神の前で平等であることこそ、ムスリムにとっての平等です。

一方で、ムハンマドの妻ハディージャが実業家だったように、女性が能力を発揮して働くことにも肯定的。国によって差がありますが、女性の社会進出も進みつつあります。特に政財界に進出して頭角を現す女性が多いのが、イスラム社会の特徴です。

イスラム教の男女のとらえ方

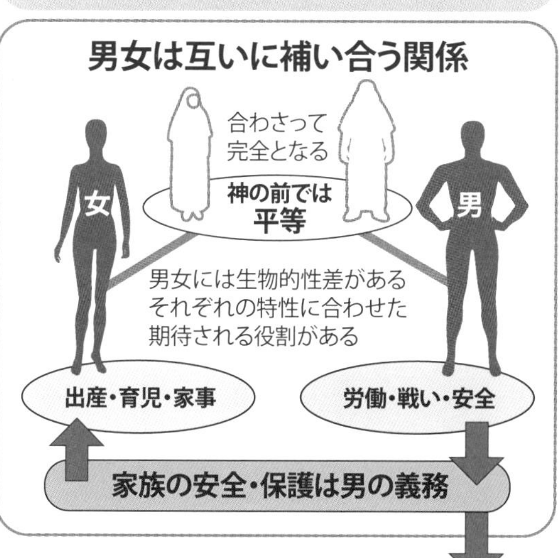

1400年前の危険な部族社会で、女性を守るためのルールだった

イスラム社会は女性の実力を認める

ムハンマドの最初の妻はやり手の商業資本家だった

ハディージャ・ビント・フワイリド
(555年?~619年)
前夫からの遺産で交易を営む裕福な商人。40歳頃、当時25歳のムハンマドの誠実さに惹かれ結婚する

イスラム社会は多くの女性政治指導者を生んでいる

タンス・チルレル
トルコ首相
在任(1993~1996)

ベーナズィール・ブット
パキスタン首相
在任 (1988~1990、1993~1996)

メガワティ・スカルノプトゥリ
インドネシア大統領
在任(2001~2004)

シェイク・ハシナ
バングラデシュ首相
在任 (1996~2001、2009~)

ローザ・オトゥンバエヴァ
キルギス大統領
在任(2010~2011)

ハリマ・ヤコブ
シンガポール大統領
在任(2017~2023)

2022年に23歳のイスラム教徒の女性が、アメリカの州議会議員に当選した

インド系のイスラム教徒のナビーラ・サイードさんが、イリノイ州の議会選挙で共和党の現職を破って当選した。アメリカのZ世代の政治参加として注目された

Part 3
イスラム教徒の暮らしと文化
⑪

女性の美を隠すためのヴェールがいまやファッションのトレンドに

ヴェールは女性を守るためのもの

イスラムの女性といって思い浮かぶのが、頭髪を覆うヴェール。アラビア語ではヒジャーブといい、国によっては全身をすっぽり覆うニカーブやブルカと呼ばれるものもあります。西欧社会では、ブルカの着用を禁じる国もあり、ヴェールが抑圧された女性の象徴のように思われがちです。

確かにコーランは女性たちに「顔おおいを胸もとまで垂らせ」と命じていますが、これは夫や家族以外の人前でのこと。ヒジャーブの着用は、女性の魅力を隠し、見知らぬ男性の誘惑から守るためのものなのです。

イスラム教の伝統的女性ファッション
その基本は、女性の美しさを他人の目から隠すこと

ブルカ
全身を完全に覆う。目の部分がメッシュになっている。アフガニスタンなど戒律が厳格な地域で着用

ニカーブ
目の部分以外全身を覆う黒い布。サウジアラビア、アラブ圏、インドなど保守的な地域で着用

チャドル
大きな布で全身を覆うように身につける。イラン、イラクで多く着用される。花柄模様などの装飾もある

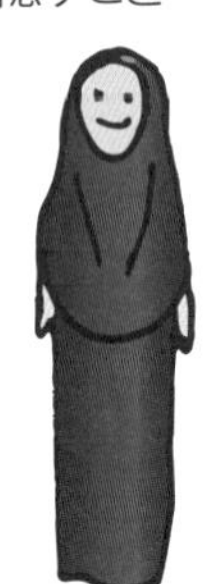

ヒマール
顔を除き、頭から背中を覆う大きなケープ。アラブ圏ではヒジャーブに次いで着用される

代表的な女性のヴェールの種類

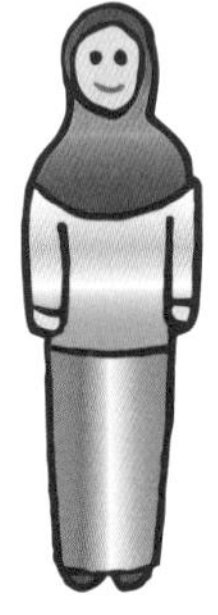

アル・アミラ
2枚の布で髪をカッチリと覆う。ヘアバンドで抑えるのでスタイルが保てる

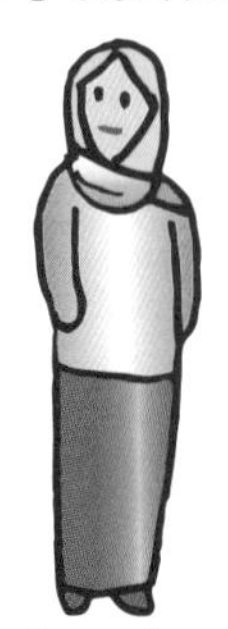

ヒジャーブ
イスラム圏の女性用のスカーフとして最も一般的なもの。ヒジャーブ以外の服装は自由な東南アジアで着用されている

シェイラ
頭にまく長いマフラーのようなスカーフ。首や髪をゆるく覆う

ヒジャーブの下は普通のスタイルの女性たち。エジプト、トルコなどに多い。ヒジャーブをしない女性たちも

ムハンマドは女性に、このように伝えた

「目を伏せて隠しどころを守り、露出している部分のほかは、我が身の飾りとなるところをあらわしてはならない。顔おおいを胸もとまで垂らせ。自分の夫、親、夫の親(以下、姿を隠さなくてもいい身内の人たちが列挙され)、以上の者を除いて、我が身の飾りとなるところをあらわしてはならない」(コーラン24章31節)

この教えは、イスラム教圏の多民族の間で、さまざまに解釈され、さまざまなスタイルが生まれた

西欧社会からは、イスラム女性の人権の抑圧の象徴としてこのヴェールが批判されてきた。またイスラム諸国の民主化運動でもヴェールをしない自由が主張されてきた

1960~70年代のイランは自由化の象徴だった

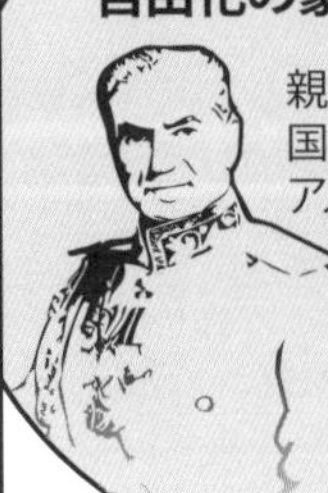

親米のパフレヴィー国王時代のイランはアメリカ文化が主流。女性たちはヴェールを脱いでミニスカートに

控えめファッションを楽しむ新世代

同じイスラム圏でも、女性の服装を厳格に定めている国もあれば、本人の意志に委ねている国もあります。イスラム社会に近代化の波が押し寄せた時代には、ヒジャーブをかぶらないことが、進歩的な女性たちの自己表現の手段でもありました。

しかし近年では、イスラム復興運動（p85）の影響もあり、すすんでヒジャーブをかぶり、自分なりのおしゃれを楽しむ女性が増えています。ヒジャーブを愛好する「ヒジャビスタ」たちがSNSで着こなしを発信し、話題を呼んでいるほどです。

カラフルなヒジャーブ、体のラインを目立たせないドレス、肌の露出を抑えたブルキニと呼ばれる水着など、イスラム女性向けの衣服は「モデスト（控えめな）ファッション」と呼ばれ、ファッション業界でも注目の的。新世代のイスラム女性たちは、伝統的な衣服でアイデンティティーを示すことで、抑圧どころか自由を謳歌しているのです。

インドネシア、マレーシア、トルコなど、比較的戒律のゆるい国々で、モデストファッションと呼ばれる、若い女性に支持されるファッションが誕生している

しかしその一方で、いま若い女性たちのなかから、イスラムへの伝統回帰へのトレンドが生まれ、新しいヴェール・ファッションが人気を集めている

1979年のイラン革命でイスラム法の社会になり、女性の服装も風紀警察が監視した

2022年、ヒジャーブ着用の法律違反で逮捕された女性が死亡した事件をきっかけに、ヴェールからの自由を求め、イランの女性たちの抗議行動が続いている

Part 3
イスラム教徒の暮らしと文化
⑫

伝統的な役割分担に支えられ家族の絆が強いイスラム社会

家族はイスラム共同体の一単位

イスラム教徒にとって、家族は共同体を構成する一単位として大きな意味をもっています。そもそもイスラムの共同体は、ひとつの大きな家族のようなもの。共同体を支えるためにも、結婚して子どもをもつことが強く望まれており、これが出生率を高める理由のひとつになっています。

現代の西欧社会では、家族のあり方が多様化し、家族であっても個人の意志が尊重されがちです。それに対しイスラム社会では、夫は妻子を養い、妻は家庭を守り、親は子を導き、子は親を敬う。そんな伝統的

親孝行しなさい

コーランの「10の命令」の第2が
「親孝行をしなさい」(6章151節)

コーランはこうも記す

「もし両親の片方、または両方とも、おまえのもとで老齢に達したならば、やさしくしてやれ。けっして両親にたいして舌打ちしてはならない。声を荒らげてはならない。ねんごろな言葉で話しかけよ。思いやりをもって謙遜の翼を両親の上に降ろして、言え、『主よ、両親が幼少の私を育ててくれたように、ふたりを憐みたまえ』」(17章23~24節)

家庭内での父親の立場は、母親に及ばない!?
外への買い物は父親の役目

家族がイスラム社会の基本単位

家族
家族
家族
家族
家族

イスラムの共同体(ウンマ)は
家族ネットワークで構成されている

な役割分担に基づき、お互いの責任を果たし合う家族関係が尊ばれています。

礼拝の次に大切なのは両親

家父長制で女性の影が薄いように思われがちなイスラム社会ですが、家庭内で一番存在が大きいのは、じつは母親です。右下に紹介したハディースにあるように、ムハンマドは最も大切な人は誰かと問われて3度「母親」と答え、4度目に「父親」と答えています。子どもを産み育て、家を取りしきることは、女性に任された大切な仕事とされ、母親は尊敬すべき存在なのです。

別のハディースによれば、ムハンマドは、「礼拝の次に大切なのは、両親を敬うこと」と語ったといいます。コーランもまた、両親が年老いたら、幼少の頃に両親が自分にしてくれたように、慈しみをもってやさしく接するようにと諭しています。

愛と思いやりに満ち、家族の絆を大切にするイスラム教徒。ここには平和の宗教を目指したイスラムの本質が表れています。

母親を大切にしなさい

ムハンマドは母親を大切にと3度言われ4度目に父親も、と言われた

アブー・フライラは、次のように伝えている
一人の男が「アッラーの使徒よ、誰に一番つくすべきでしょうか?」と言った。
すると預言者は次のように言った。
「あなたの母親です。
その次もあなたの母親です。
またその次もあなたの母親です。
そしてその次はあなたの父親です。
それからあなたの血縁に近い人の順です」

ムハンマドが尋ねました。
「あなたに母はありますか」
彼(ジャーヒマ)は「はい」と答えました。
彼(ムハンマド)は言いました。
「そうであれば、彼女に仕えなさい。まことに楽園は母の足もとにあります」

族

結婚がイスラム社会の基礎 → 家族の核(コア)は夫婦 → 夫婦は男女の結婚によって成立する

イスラム教徒にとって結婚はとても大切なこと

結婚について詳しくは p60〜61

イスラム教徒の冠婚葬祭 結婚式と葬儀のしきたり

契約によって結ばれる夫婦

イスラム教徒(きょうと)の結婚(けっこん)は、ニカーフ（婚姻(こんいん)契約(けいやく)）によって成立(せいりつ)します。この契約によって、男性には妻子(さいし)を養(やしな)う責任(せきにん)、女性には家を取りしきる責任が生じるのです。契約の際には男性から女性への結納金(ゆいのうきん)（マフル）の額(がく)も示されます。ニカーフはどこで行ってもよいとされていますが、多くの場合はモスクで、イスラム教徒2人の証人(しょうにん)の前でイマーム（指導者(しどうしゃ)）によって執(と)り行われます。

中東(ちゅうとう)や北アフリカなどには、結婚前に花嫁(はなよめ)の手にヘナと呼ばれる植物の染料(せんりょう)でペイントする風習(ふうしゅう)があり、女性中心のヘナ・パー

ティーが開かれることも。ヘナには魔除けと招福の効果があるといわれています。

結婚後の披露宴は、大勢の親族や友人を招いて賑やかに行われるのが一般的。国によっては何日も宴が続き、歌や踊りと食事を楽しみながら、夫婦の門出を祝います。

よみがえりのための葬儀と埋葬

一方、イスラム教の葬儀は、きわめて簡素。土葬するため、なるべく早く葬儀と埋葬を行います。土葬が求められているのは、最後の審判のときによみがえる体が必要なため。また、土から生まれた者は土に還るべき、という教えに従うものでもあります。

故人の亡骸は、決められた手順で清められたあと、白い布でくるまれてモスクに運ばれます。葬儀の礼拝後は、そのまま葬列を組んで墓地へ。埋葬の手順も決められており、亡骸は右脇腹を下にして、メッカの方向に顔を向けて安置されます。葬儀と埋葬はイスラム共同体の責務。親族だけでなく、多くの同胞が参列することが望まれます。

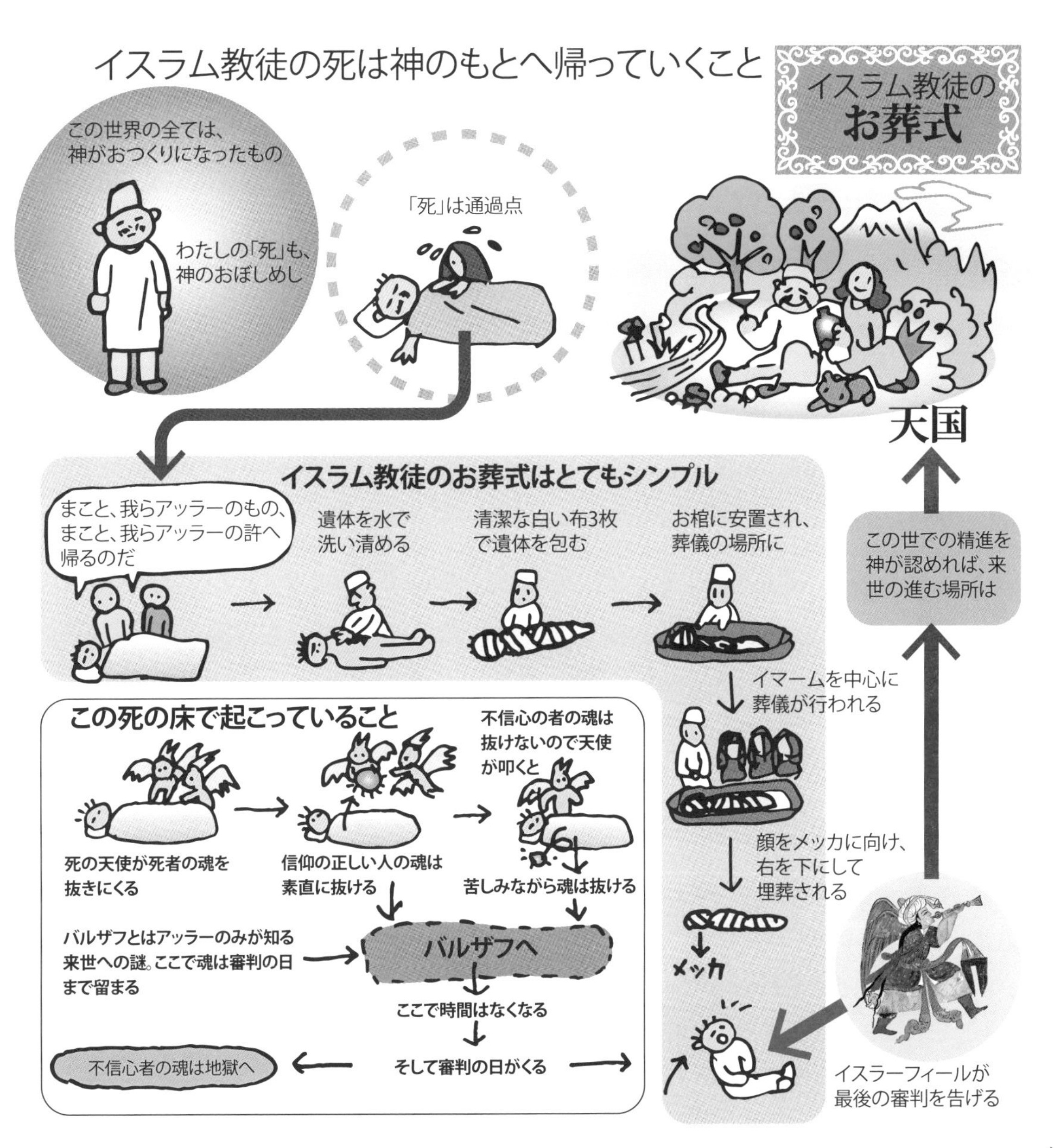

神への祈りとともにあったイスラム伝統の美

偶像崇拝禁止が生んだイスラム美術

イスラム教徒の祈りの場であるモスクには、イスラム美術の粋が集められています。イスラム美術は、教えが伝わった土地の伝統的な技法を取り入れながら発展したため、モスクの建築様式もさまざま。典型的なモスク建築は、大きなドームや空高くそびえるミナレットを有しています。

モスクの内外には、聖像も宗教画もありません。イスラム教は偶像崇拝を徹底的に禁じているためです。かわりに発達したのが、幾何学模様やアラベスクと呼ばれる文様、そしてカリグラフィーでした。

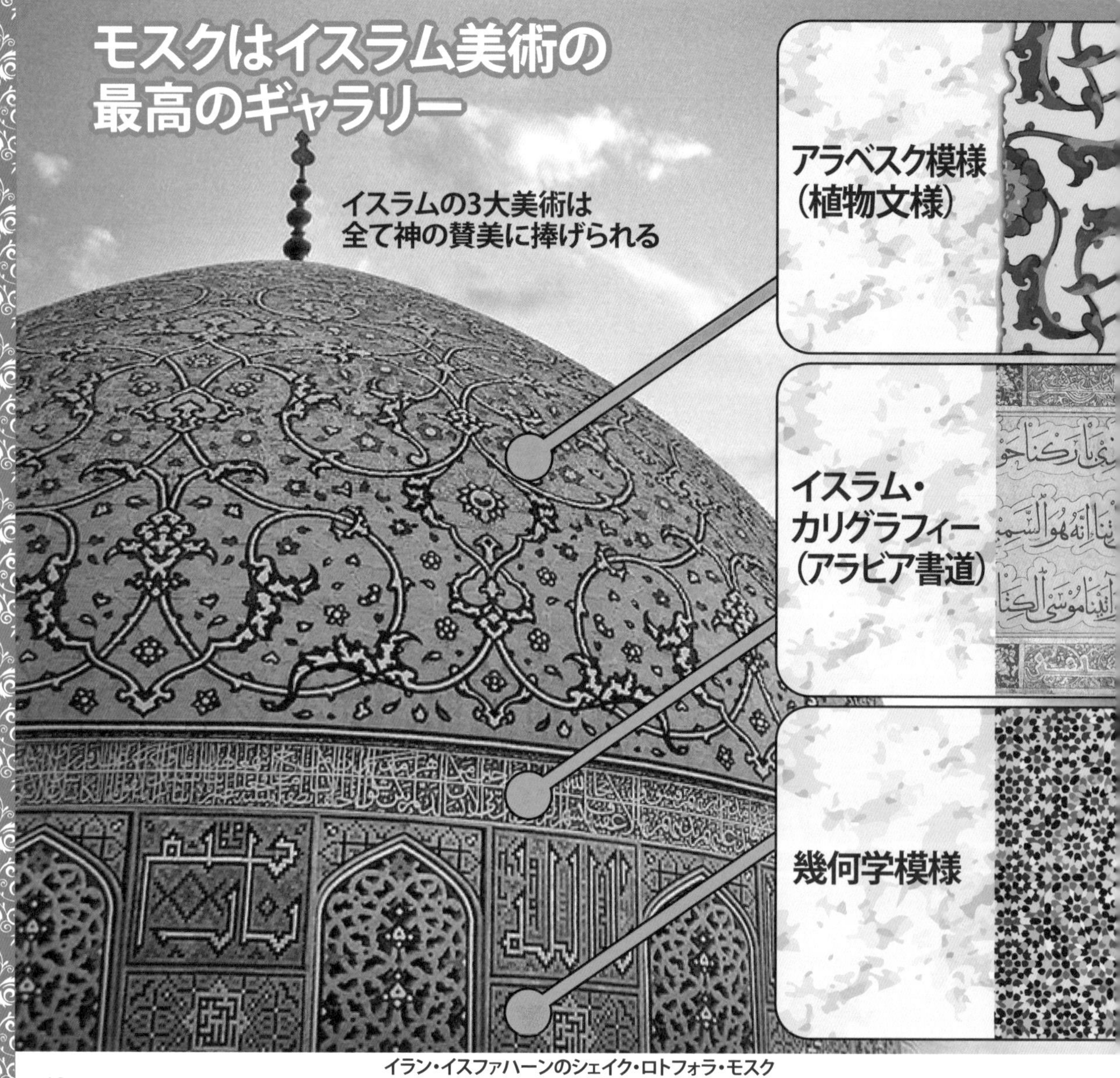

イラン・イスファハーンのシェイク・ロトフォラ・モスク
©Iran Travel, Tourism and Touring Online NGO

文様と文字が織りなす造形美

アラビア文字を意匠化したカリグラフィーは、日本ではアラビア書道とも呼ばれます。印刷技術がなかった時代、コーランの複製は手書きで写されていました。神の言葉を美しく書き写すことから始まったのが、アラビア書道。イスラム黄金期のアッバース朝時代に基礎が築かれ、時代や地域によっていくつもの書体が生まれました。

同じくアッバース朝時代には、イスラム世界にユークリッド幾何学が伝わり、ここから緻密で繊細な幾何学模様が発達。幾何学模様や植物のモチーフを反復的に連ねたアラベスクも生まれます。モスクの内外には、幾何学模様とアラベスクとカリグラフィーを複雑に組み合わせたイスラム独自の装飾が施されるようになりました。

崇拝の対象になるような具体的な人や物が描けないからこそ生まれた造形の美。ここには、神が創造したこの世界の秩序が表現されているともいわれています。

アラベスクの基本モチーフ

モチーフが繋がり無限の世界をつくる

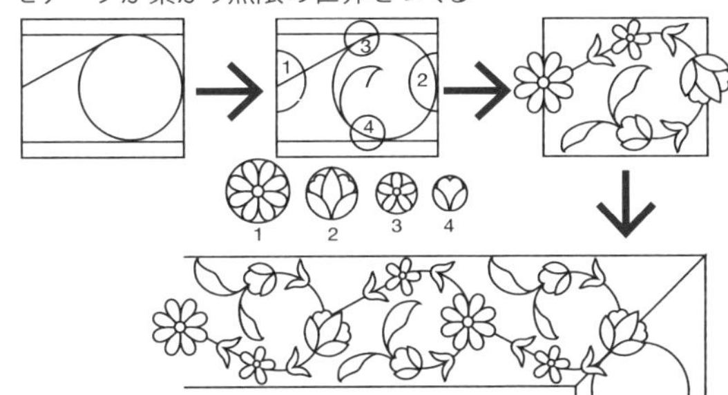

イスラムの理想世界を象徴するアラベスク、植物の美しさと増殖する生命力を表現

アラベスク模様は、8世紀のイスラム文化の黄金時代に花開いた。草木、果実、花などのモチーフが精緻に組み合わされ連続した文様は、食器やじゅうたんなどにもあしらわれた

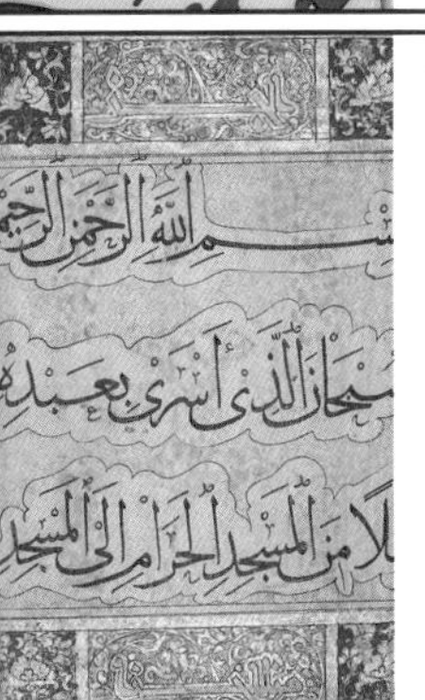

アラビア書道の主要な書体

クーフィー書体
イラクで生まれた古い書体

ナスヒー書体
コーランの書写のための書体

スルス書体
コーランの聖句を強調する書体

神の言葉を美しい文字で表現するアラビア書道の世界

コーランの聖句を美しく書き写すために、10世紀にアラビア文字の形が幾何学的に体系化され、6つの重要な書体が確立した。オスマン帝国時代、書家たちが書道の技術を高め、いまに続いている

全ての模様は円から始まり、重ね、直線を引き、無限につながる美が生まれる

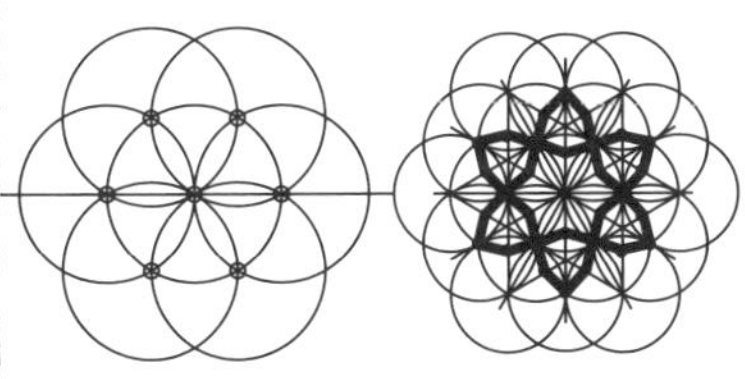

幾何学の法則から無数に生み出される模様は、宇宙の連なりそのもの

アッバース朝の時代にギリシアの科学がイスラムに伝わり、幾何学が深く研究された。その過程で幾何学模様が生まれ、イスラム独自の発展を遂げた

Part 4
イスラム世界1400年の歩み ①

預言者の没後100年でイスラム帝国が誕生

アラブ帝国からイスラム帝国へ

　ムハンマド亡きあと、イスラム共同体はカリフ（ムハンマドの後継者の意）を指導者として急速に勢力を拡大します。
　初代アブー・バクルから第４代アリーま

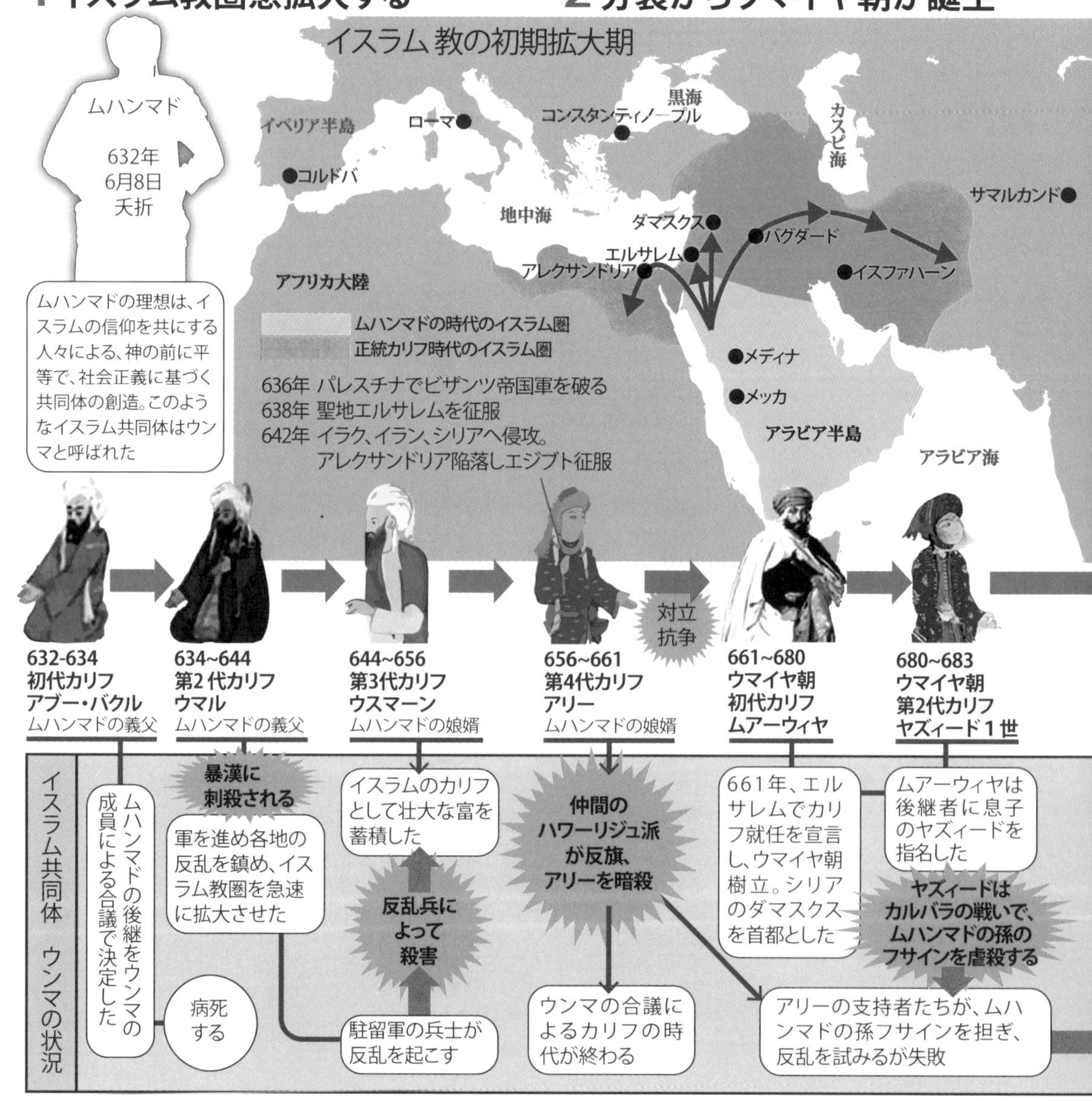

でのカリフは、信者たちが選出した「正統カリフ」でした。しかし後継者をめぐり、ムハンマドの娘婿アリーとその子孫だけをカリフと認める党派（後のシーア派）と歴代カリフを認める党派（後のスンナ派）とが対立。内紛によりアリーが暗殺されると、ムアーウィヤがカリフとなってウマイヤ朝を興し、以後カリフは世襲制となりました。

ウマイヤ朝は北アフリカからイベリア半島にまで領土を広げ、異民族を支配します。しかしアラブ民族中心の政策をとったため、反発した異民族とウマイヤ朝を認めないシーア派が結託。彼らの支持を得たアブー・アルアッバースが750年にウマイヤ朝を倒し、アッバース朝を成立させました。

アッバース朝は、民族にかかわらず、すべてのムスリムに平等なイスラム帝国を実現します。首都バグダードには、東西交易によって富がもたらされ、芸術や学問が栄え、イスラム文化が花開きました。

3 イスラム帝国アッバース朝の時代　4 イスラム文化が花開いた

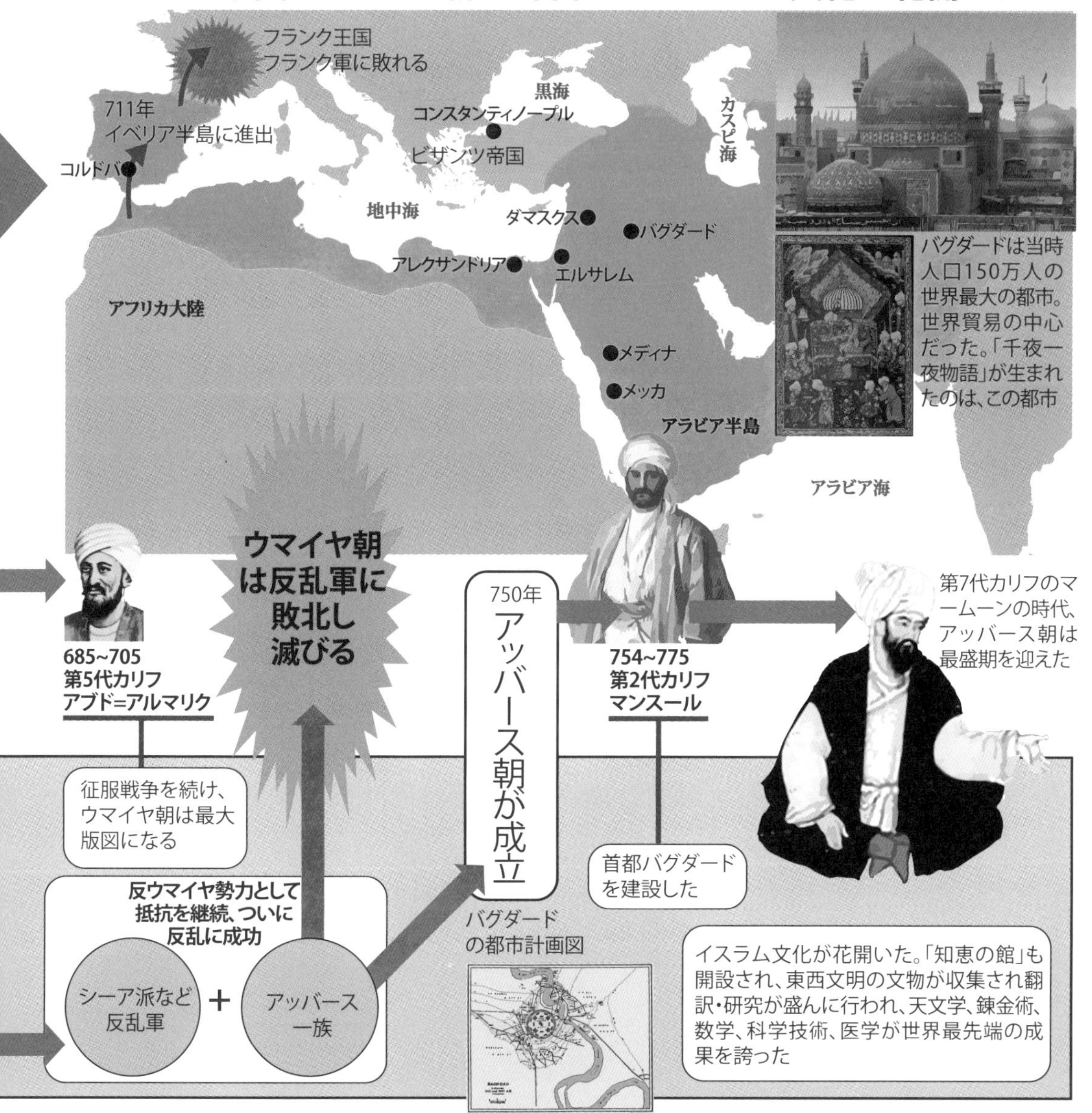

Part 4
イスラム世界1400年の歩み ②

イスラム帝国の分裂により諸王朝が群雄割拠する

アッバース朝から分立した諸王朝

大帝国として繁栄したアッバース朝も、領土が拡大するにつれてカリフの求心力が弱まり、早くも８世紀後半以降、分裂して各地に王朝が生まれるようになりました。

イベリア半島には、アッバース朝に滅ぼされたウマイヤ朝の再興を目指し、後ウマイヤ朝が誕生。都コルドバを中心に、現在のスペイン南部に西方イスラム文化の花を咲かせました。続いて中央アジアにはイラン系のサーマーン朝、北アフリカにはシーア派のファーティマ朝が誕生。10世紀にはイラン系シーア派によってブワイフ朝が興

激動するイスラム世界 10世紀から12世紀のユーラシアに群雄割拠するイスラム教国

イスラム世界を動かしたもの

分立する地方政権

急速に拡大するイスラム帝国は、地方の統治を総監の任命や、土地の有力者への委任によって行った。アッバース朝の中央集権統治が弱体化するに従い、地域政権が独立。イスラム世界の盟主として声をあげた後ウマイヤ朝、ファーティマ朝がそれぞれカリフを擁立した

キリスト教世界との抗争の始まり

膨張するイスラム教は、セルジューク朝が小アジアに侵攻し、ビザンツ帝国との抗争が発生。イベリア半島では侵攻した後ウマイヤ朝に対して、キリスト教の反撃(レコンキスタ)が始まっている

イスラム商業圏の繁栄

ユーラシア大陸の過半を抑えたイスラム帝国は、唐と地中海を結ぶ商業ルートの主役となった。唐への道は、陸路は仏教国を平定し、海路はアラビアの勇敢な船乗りたちによって繋がった。莫大な富がイスラム社会を潤した

後ウマイヤ朝 初代カリフ アブド・アッラフマーン3世
カリフ(在位912~961) 王国の最盛期に自らカリフを宣言した

後ウマイヤ朝(756~1031)
ウマイヤ朝の生き残りアブド・アッラフマーン1世がアフリカをへてスペインに逃亡し、ウマイヤ朝を再興した。首都コルドバは人口30万を誇った

ファーティマ朝(909~1171)
シーア派から分裂したイスマーイール派がチュニジアに興した王朝。スンナ派のアッバース朝に対抗し、指導者がカリフを称した。第4代カリフ・ムイッズの代にエジプトを制服。新首都カイロを建設して繁栄する

ファーティマ朝 初代カリフ ウバイドゥッラー
(在位909~934)

コルドバ・メスキータ
アブド・アッラフマーン3世が建設した現存する唯一のモスク。現在はカトリック教会

り、バグダードに入城してアッバース朝カリフから政治・軍事権を獲得しました。

トルコ系イスラム王朝の台頭

帝国が分裂する過程で、イスラム世界の中心民族は、アラブ人からトルコ人へと移っていきます。

中央アジアの騎馬遊牧民だったトルコ民族は、長い時間をかけて西方に進出し、イスラム勢力と出合います。９世紀に興ったカラハン朝は、10世紀半ば、君主の改宗によって初のトルコ系イスラム王朝となりました。カラハン朝はサーマーン朝を倒し、中央アジアをイスラム化します。

さらに11世紀半ばには、同じくイスラムに改宗したトルコ民族によって、セルジューク朝が成立。アッバース朝の実権を握っていたブワイフ朝を倒してバグダードに入城し、カリフからスルタン（君主）の称号を授かります。このセルジューク朝が勢力を増し、やがてキリスト教圏を脅かし、十字軍遠征の引き金を引くことになります。

ムスリム商人によって イスラム教はアジア・アフリカへ

サハラ交易でアフリカへ

キリスト教がイエスの弟子や宣教師たちによって世界中に広まったことは、よく知られています。一方、イスラム教で、その役割を担ったのは、ムスリム商人たちでした。

ウマイヤ朝以降、イスラムの帝国では金貨が鋳造され、貨幣経済の支えとなっていました。この金貨に使われたのが、アフリカの金です。ムスリム商人は、ラクダのキャラバン（隊商）を組んで、サハラ砂漠の塩を運び、西アフリカの金と交換。このサハラ交易を通して、黒人国家ガーナ王国にイスラム教を伝えます。その後この地に興った

イスラム商人は2つの船に乗って世界貿易を行った

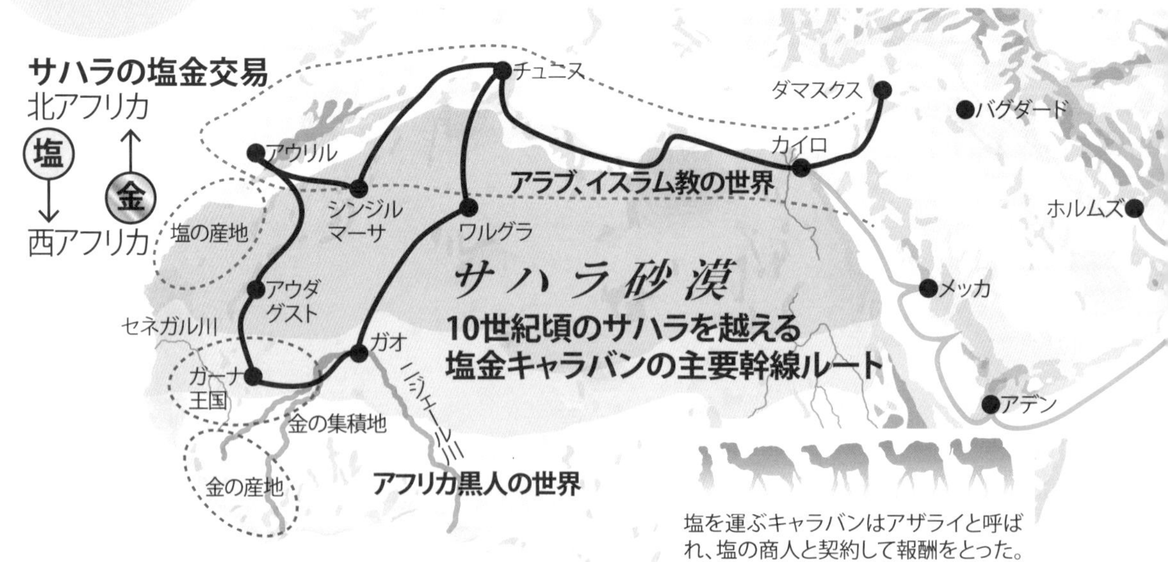

塩を運ぶキャラバンはアザライと呼ばれ、塩の商人と契約して報酬をとった。1頭のラクダに120kg程度の岩塩の板を積み、平均1000頭のキャラバンを組み砂漠を渡ったという

イスラム帝国の商業を支えた ディーナール金貨

ディーナール金貨は、ウマイヤ朝第5代カリフによって、最初に鋳造された金貨。以来、イスラムの各国でつくられた金貨は国際通貨として交易に広く使われた。この金貨を支えたのが、アフリカの金だった

ウマイヤ朝時代のディーナール金貨

マリ王国やソンガイ王国はイスラム教を受け入れ、アフリカのイスラム化が進みました。

海のシルクロードで東南アジアへ

ムスリム商人は、海を越えてアジアにも渡りました。彼らはダウ船と呼ばれる帆船に乗りこみ、アラビア半島からインド、マラッカ海峡を経て中国に至る海のシルクロードを航海。中国からは陶磁器や絹織物など、東南アジアからは香辛料や象牙などをイスラム世界にもたらしました。

アジア各地の貿易拠点には、ムスリムの居住地が築かれ、イスラム教が伝わります。13世紀、スマトラ島北端に東南アジア初のイスラム国家、サムドラ・パサイ王国が誕生。15世紀にはマラッカ王国がイスラム教国になるなど、東南アジアでもイスラム化が進みます。それを後押ししたのは、商人とともに海を渡ったスーフィー（イスラム神秘主義者 p35）たちの活動でした。感覚に訴える彼らの教えは、現地の伝統的な信仰とも結びつき、信者を増やしていきました。

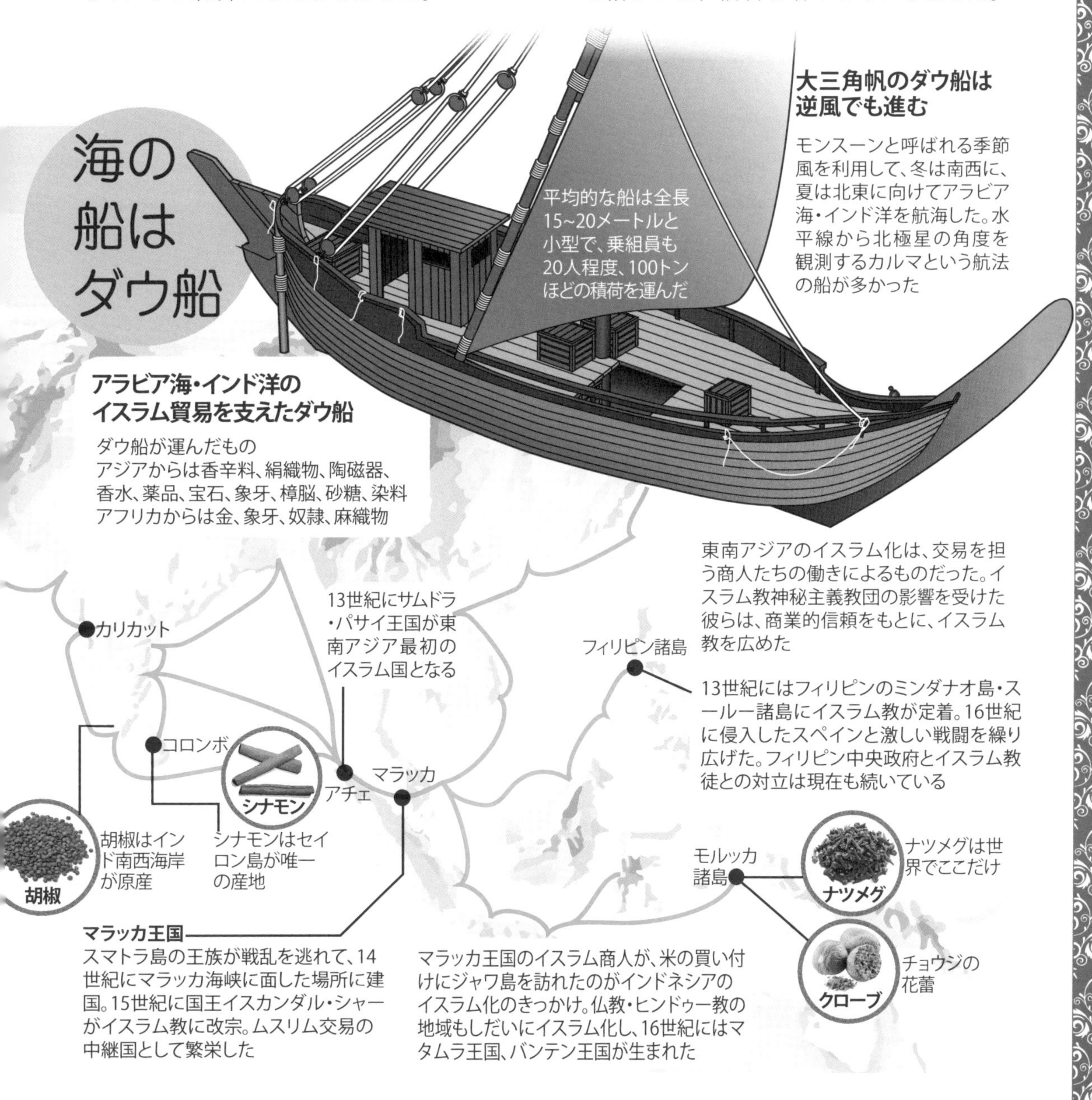

世界最先端の学問の粋を集めたイスラム文明800年の輝き

世界の英知がイスラムで融合

8世紀から約800年にわたり、イスラム世界は学問や文化の中心地となり、輝かしいイスラム文明を生み出します。

830年頃、アッバース朝の第7代カリフ、マームーンは、首都バグダードに「知恵の館」を設立し、ギリシア語の文献をアラビア語に翻訳する一大事業を開始。イスラム教徒だけでなく、キリスト教徒、ユダヤ教徒も加わって、膨大な数の文献が翻訳され、古代ギリシアの哲学や自然科学がイスラム世界にもたらされました。

ギリシアだけでなく、ペルシア、エジプ

ヨーロッパのルネサンスは、イスラム文明を通じてギリシア文明を知ったことから始まる

❸ 中世ヨーロッパでアラビア語の文献が盛んにラテン語に翻訳された

スペインのグラナダがラテン語翻訳の中心に

十字軍をきっかけに、イスラム科学がヨーロッパに伝わる

❸ ❶ ❷ ●バグダード

イスラム世界がギリシアの知を受け継ぐ

ギリシア哲学・科学がキリスト教徒に迫害される

❶ 529年
ギリシア学研究者がビザンツ帝国を追われる
皇帝スティニアヌスによって、ギリシアの学問は多神教時代のものとして禁止され、プラトンの創設したアカデメイアも閉鎖された

❷ 8世紀には、バグダードの「知恵の館」に、ギリシア語の文献が集められアラビア語への翻訳の大事業が行われた

バクダードだけではなく、イスラム社会の都市には、科学アカデミー、学校、天文台、図書館が設けられ、ギリシアの学問が奨励された

イスラム世界で

ビールーニー
(973~1048)
数学者、天文学・地理学・歴史学者

サーマーン朝、カズナ朝の君主に仕え、天文学書『マスウード宝典』、地理書『インド誌』など生涯で120を超える著作を残す。イブン・シーナーとの天文についての論争が有名

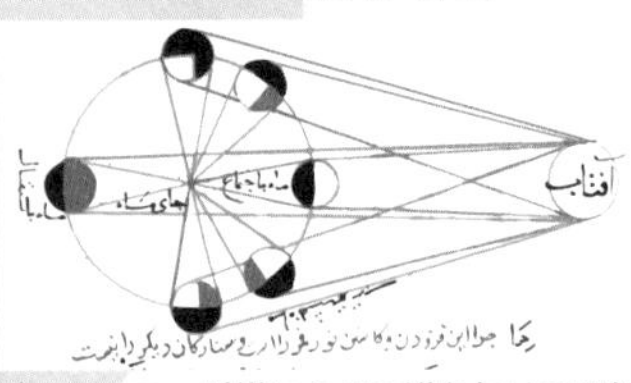
ビールーニーが描いた月の満ち欠けの図解

ラーズィー
(865~925)
錬金術師、化学者、医師、哲学者

実用医学の先駆者。小児科学の父と言われ、天然痘の研究で名高い。化学では硫酸の研究を続けた

子どもを診察するラーズィー

イスラムの学問研究の特徴

科学・哲学・宗教は別のものではなく統一されたものとして研究された。ギリシア以外、インド、エジプト、中国の文明が融合した総合文明であった

学問の研究分野は
人文科学　哲学、論理学、倫理学、
自然科学　地理学、医学、薬草学、数学、天文暦学、光工学、錬金術など

研究者は、多くの分野を統合的に研究した

ト、インド、中国などからも、数学、天文学、医学、光学、地理学、哲学、文学などなど、先進的な学問がイスラム世界に結集。それらの知識をもとにして飛躍的に学問が発展し、多くの学者たちが生まれました。

異民族や異教徒の文化であっても、優れたものであれば積極的に取り入れて融合する。それがイスラム文明の特徴でした。

ルネサンスの発端はイスラム文明

現在、私たちが日常的に使う数字は、アラビア数字と呼ばれます。もともとはインド起源ですが、アラビアで完成し、世界に広まったものです。同様に、多くの学問や文化が、イスラム経由で世界に広まりました。

ヨーロッパで14世紀に興ったルネサンスも、イスラム経由でギリシア・ローマの古典文化が伝わったことが始まり。アラビア語の文献がラテン語に翻訳されたことで、ヨーロッパは古代の英知を知ったのです。皮肉にもこれが西洋の発展を促し、やがてイスラム文明を凌駕することになります。

活躍した、著名な学者たち

イブン・シーナー
(980~1037)
医学者、哲学者

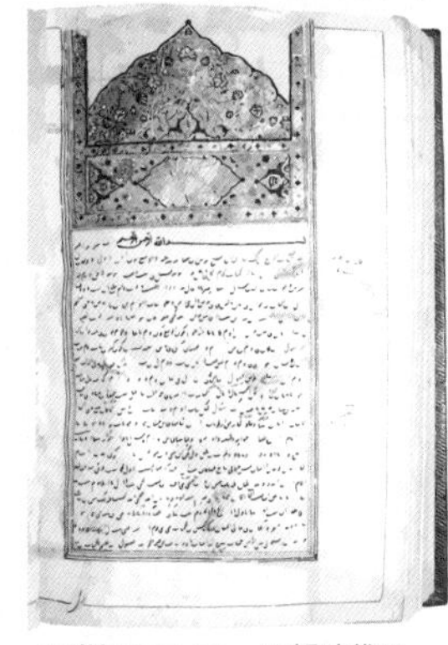

14世紀のティムール朝時代の『医学典範』の写本

ペルシアの科学者にして、ギリシアのアリストテレス哲学の新解釈でイスラムを代表する知性と称される。彼の著した『医学典範』はイスラムの臨床医学の集大成として、長くヨーロッパの医学にも影響を与えた

イブン・アル=ハイサム
(965~1040)
数学者、天文学者、医学者、哲学者、音楽学者で、近代光学の父と言われている

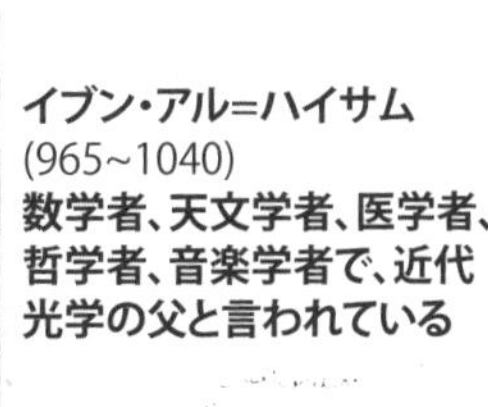

目から出る光で物を見るという、プトレマイオスの光学理論を徹底的に批判し、光源からの光が反射して目に入り、それが眼球内で像を結ぶという現代の光学理論の基礎をつくった

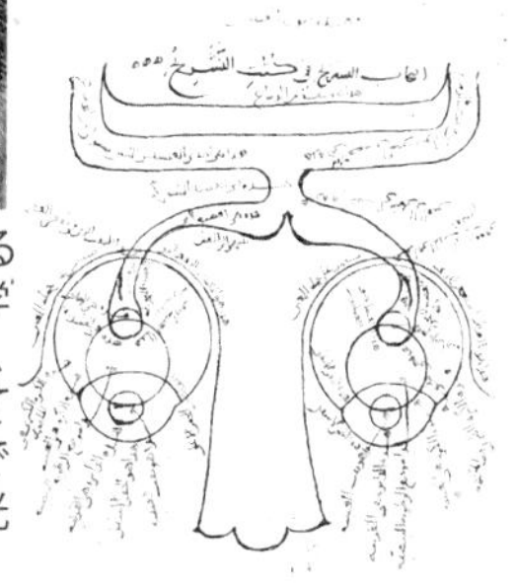

人間の視覚の構造を図示した

バッターニー
(850?~929)
シリアで活躍した数学者、天文学者

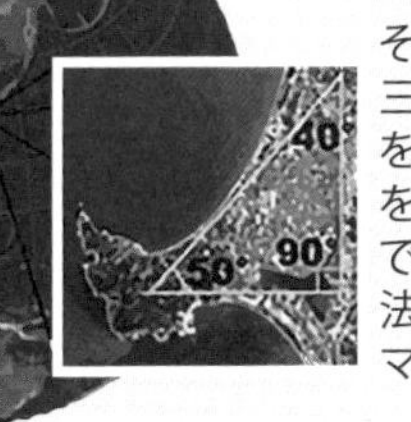

その業績は多岐にわたり、三角法の球面三角法定理を発見し、三角関数の整理を行った。また私設天文台で40年にわたり、球面三角法で天体観測を続け、プトレマイオスの理論を訂正した

ザフラウィー
(936~1013)
現代的外科医療の創始者、医療機器の発明者

LIBER THEORICAE
NECNON PRACTICAE ALSAHARAVII IN PRI-

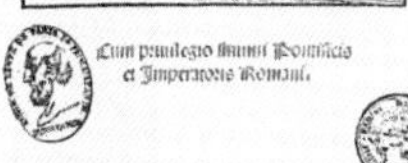

Cum privilegio summi Pontificis et Imperatoris Romani.

『解剖の書』のラテン語訳の表紙

50年間の外科医としての研鑽の知見を『解剖の書』にまとめた。歯科から分娩までを扱うこの本は、ヨーロッパの外科医学の基本文献ともなった

Part 4
イスラム世界
1400年の歩み
⑤

聖地をめぐる十字軍との戦い キリスト教徒との確執の始まり

200年にわたった十字軍の暴挙

3大一神教共通の聖地であるエルサレム。この地は長くローマ帝国に支配されていましたが、正統カリフ時代の638年以降、イスラム勢力の支配下にありました。イスラム教徒はユダヤ教徒・キリスト教徒を、神から共通の啓典を与えられた「啓典の民」と呼んで寛大に扱い、エルサレムにおいても3宗教の信者が共存していました。

ところが11世紀セルジューク朝の時代、時のローマ教皇は、キリスト教徒による十字軍を結成し、エルサレム奪還を宣言。セルジューク朝の西方進出を恐れたビザンツ

ローマ教皇は「聖戦」のための十字軍結成を
全ヨーロッパに呼びかけた
「さあ、異教徒との価値ある戦いに
立ち上がりなさい」

ローマ教会の
権威を高める
いいチャンスだ

エルサレムの
キリスト教徒が
迫害されている、
と助けを求める

ローマ教皇
ウルバヌス2世

4 十字軍の遠征始まる

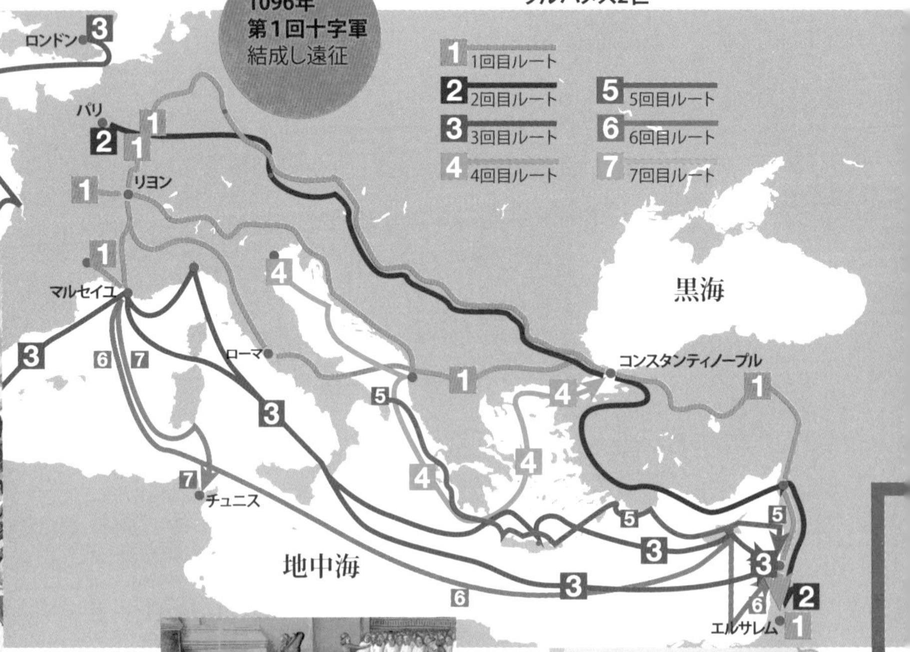

1096年
第1回十字軍
結成し遠征

1 1回目ルート
2 2回目ルート
3 3回目ルート
4 4回目ルート
5 5回目ルート
6 6回目ルート
7 7回目ルート

ロンドン
パリ
リヨン
マルセイユ
ローマ
チュニス
コンスタンティノープル
黒海
地中海
エルサレム

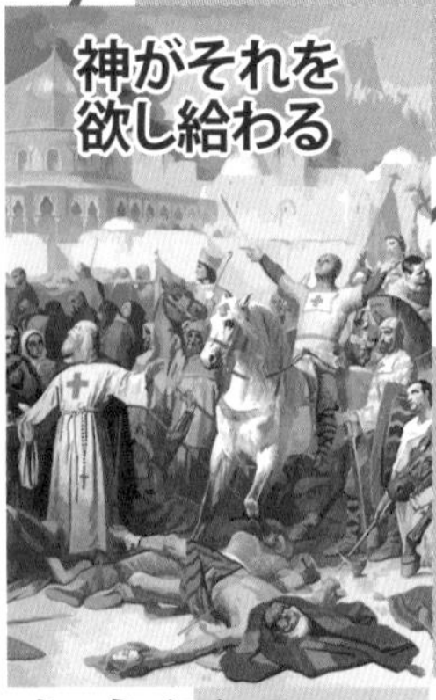

神がそれを
欲し給わる

十字軍は
イスラム教徒に対して
暴虐の限りを尽くし
エルサレムを
陥落させた

降伏した兵を許すイスラム教徒にとって、女性、子どもまで虐殺するキリスト教徒の軍隊との戦いは初めてだった

降伏したイスラム教徒の捕虜を、処刑するキリスト教徒

十字軍の諸侯は勝手に自分の国をつくった

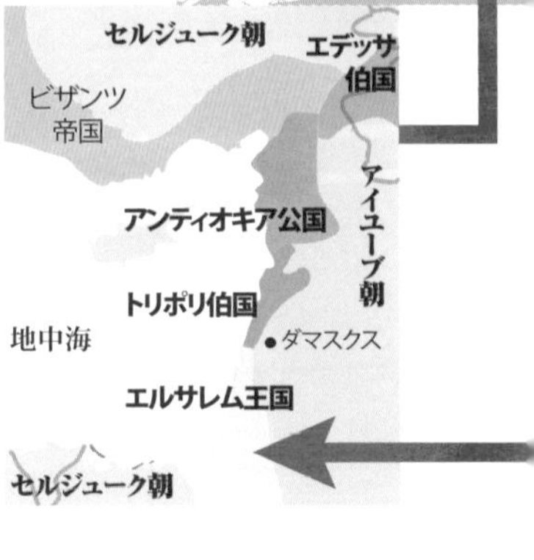

セルジューク朝
エデッサ伯国
ビザンツ帝国
アンティオキア公国
アイユーブ朝
トリポリ伯国
ダマスクス
地中海
エルサレム王国
セルジューク朝

帝国皇帝が、エルサレムでキリスト教徒が迫害されている、と事実を曲げて訴え、教皇に援軍を求めたためでした。

1096年、突如エルサレムになだれこんできた十字軍は、非道の限りを尽くして、イスラムの兵士のみならず女性や子どもまでをも虐殺。エルサレムは十字軍に占領され、エルサレム王国が建設されました。

それから約90年後の1187年、アイユーブ朝を樹立したサラディンが、十字軍を敗退させ、エルサレムを奪還。その巧みな戦いぶりと敵兵への寛大な措置は、キリスト教徒からも賞賛されたほどでした。

その後も十字軍は、13世紀末にいたるまで遠征を繰り返します。しかし、聖地奪還の大義はどこへやら、ローマ教皇、ヨーロッパ諸国の王や諸侯、有力商人など、それぞれの思惑がからみ、支離滅裂な陣取り合戦が繰り広げられるありさまでした。

十字軍はイスラム世界とキリスト教世界の間にしこりを残し、エルサレムは近代に再び紛争の地となります(p80～81)。

1 セルジューク朝の西方への勢力の拡大

2 ビザンツ帝国はイスラムに敗北 イスラム教徒がエルサレムを占領

3 皇帝はこの状況を利用する

ビザンツ帝国皇帝 アレクシオス1世

西ローマに救援を頼む口実になる

イスラム教徒の勝利

1187年 イスラム世界の英雄サラディンの反撃が始まる

イスラム世界に『聖戦』を宣言し団結を呼びかけた

捕虜に寛大だったサラディン

降伏した十字軍の兵士は身代金で釈放、騎士は紳士的に解放された

図はサラディンに降伏する十字軍

2 第2回十字軍 (1147~1149)

イスラム勢力に奪還されたエデッサ伯国救援のため組織された。フランス、ドイツの王、テンプル騎士団などが参加し進撃したが、十字軍内の戦略の間違い、士気の低さなどで、イスラムに敗北

1187年 サラディンはヒッティーンの戦いで十字軍を撃破する

エルサレムを奪還する

3 第3回十字軍 (1189~1192)

エルサレム奪還に3人の王が参戦

神聖ローマ皇帝 フリードリヒ1世 落馬して死亡

フランス王 フィリップ2世

イギリス王 獅子心王 リチャード1世に組織された

戦いは十字軍優勢もエルサレム奪還はできず、サラディンと休戦条約を結ぶ

4 第4回十字軍 (1202~1204)

味方であるはずのビザンツ帝国の首都コンスタンティノープルを攻撃し、破壊・略奪

5 第5回十字軍 (1228)

フリードリヒ2世は、イスラムと交渉しエルサレム周辺を獲得する

6 第6回十字軍 (1248～1254)

エジプトを攻めるが敗北

7 第7回十字軍 (1270)

アフリカのチュニスを攻撃するも失敗

キリスト教徒の敗北

ローマ教皇と封建諸侯の権威の失墜を招いた

モンゴル帝国の末裔ムスリムがインドのムガル帝国を築く

モンゴル帝国がイスラムに改宗

13世紀、世界史の表舞台に忽然と現れたのがモンゴル帝国です。500年続いたイスラム帝国、アッバース朝も、1258年にモンゴルのバグダード占拠によって滅亡しました。

しかし、歴史は思わぬ方向に進みます。モンゴル帝国から分立した諸ハン国が、イスラム教に改宗したのです。ムスリム商人を重用し、交易を有利に進めるためでした。

1370年には、モンゴル貴族の子とされるティムールが、ティムール朝を樹立。一時は興隆した王朝も1507年に滅亡しますが、ここからさらに歴史は大きく動きます。

1 12世紀末のイスラム世界の広がり

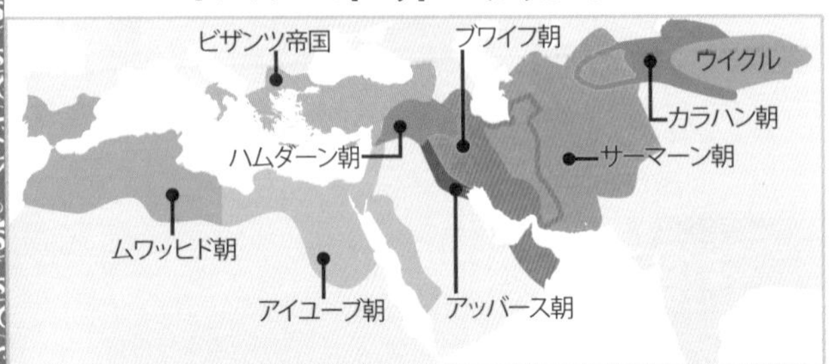

2 13世紀半ばモンゴル帝国が覆い被さる

3 モンゴル帝国の分立とイスラム教化

イル・ハン国、チャガタイ・ハン国のモンゴル人は、領民の宗教であるイスラム教に改宗し、その結果土着化していった。オゴタイ・ハン国はチャガタイ・ハン国に吸収、キプチャク・ハン国はモスクワ大公国に吸収された

4 1370年モンゴル・イスラムのティムール朝が誕生する

ティムールの肖像。モンゴル系の風貌をしている

ティムールの死後帝国は滅亡

5 1483年ティムールの末裔バーブル誕生

父はティムールの曾孫、母はチンギス・ハンの次男の家系

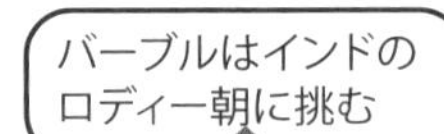

バーブルはインドのロディー朝に挑む

6 1526年バーブルムガル帝国を建国する

バーブルは2万の寡兵で10万のロディー朝に挑み、大砲を巧みに使用して勝利した。右の図には大砲が描かれている

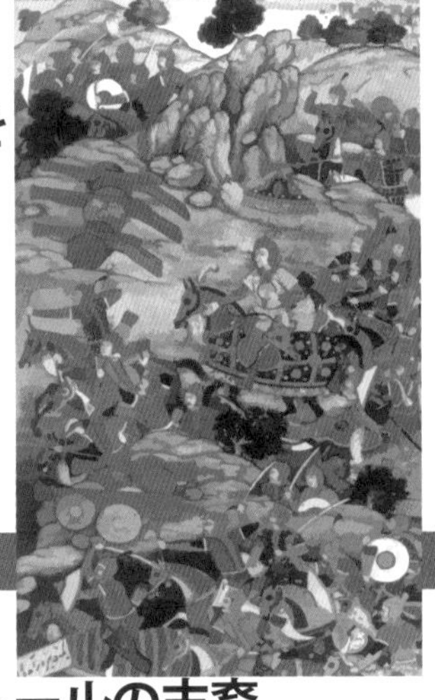

寛大な政策でインドを制したムガル帝国

1526年、ティムールの末裔バーブルは、デリー・スルタン朝最後の王朝、ロディー朝を破り、ムガル帝国を建国。このイスラムの王朝が、最盛期にはインドのほぼ全土を支配し、1858年まで続くことになりました。

ムガル帝国の発展を促したのは、第3代皇帝アクバルでした。ヒンドゥー教徒が圧倒的に多いインドを支配するために、アクバルは寛大な融和政策を推進。そのひとつが、ジズヤの廃止です。ジズヤとは、イスラムの征服地に住むすべての異教徒に課せられた人頭税のこと。アクバルは正統カリフ時代から続くこの税を廃止し、イスラム教徒もヒンドゥー教徒も平等に扱うことで、帝国を隆盛に導きます。手工業や芸術が発展し、イスラムと土着の文化が融合したインド・イスラム文化も花開きました。

しかし、第6代皇帝のときにジズヤは復活。ヒンドゥー教徒の反発を招き、帝国はしだいに衰退していくのでした。

第2代皇帝
フマーユーン
(在位1530~1540、1555~1556)
フマーユーンは1度敗戦し亡命するが、再起して帝国を復活させた

第3代皇帝
アクバル
(在位1556~1605)
ムガル帝国を発展させた名君。49年の在位は、ムガル帝国では最長

7 アクバルは異教徒への寛大な治世で、帝国を隆盛に導いた

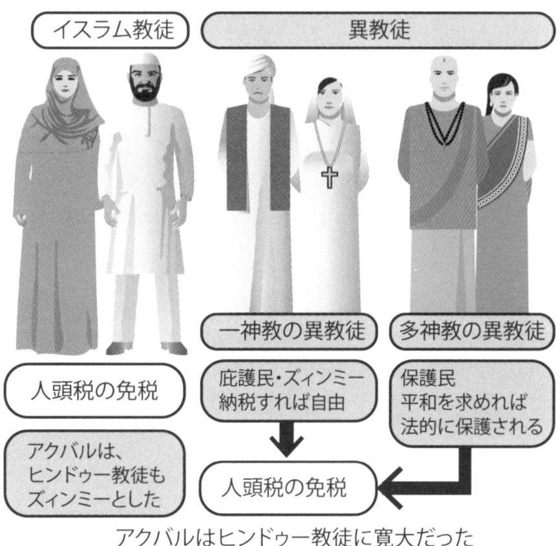

アクバルはヒンドゥー教徒に寛大だった

シャー・ジャハーンが建設したムガル建築の至宝、タージ・マハール

8 シャー・ジャハーンは、インド・イスラム文化を開花させた

第5代皇帝
シャー・ジャハーン
(在位1628~1658)

彼の治世で帝国の領土はインド中央部のデカン高原にまで広がった。そのため国家の歳入はアクバルの時代の2倍となった。この潤沢な資金がインド・イスラムの多彩な芸術を生み出す。建築、装飾、絵画、音楽にムガル様式と呼ばれる作品が誕生した

ムガル様式の細密画で描かれたシャー・ジャハーン

Part 4
イスラム世界
1400年の歩み
⑦

キリスト教圏に脅威を与えたオスマン帝国600年の興亡

世界を凌駕する大帝国に

　イスラム最後の大帝国となったのは、600年の長きにわたって存続したオスマン帝国です。1299年、アナトリア（現在のトルコ）にトルコ系ムスリムの小君主国として誕生し、14世紀後半にはバルカン半島に進出。1453年にはビザンツ帝国を滅ぼし、コンスタンティノープル（イスタンブール）に都を移します。さらに領土を広げて、聖地メッカとメディナの保護権も獲得。これにより、オスマン帝国のスルタン（君主）が、カリフを継承することになりました。

　帝国が最盛期を迎えたのは、スレイマン

1299年 オスマン帝国建国

オスマン帝国の始祖オスマン＝ベイによって、現在のトルコに当たるアナトリア西部にオスマン侯国が建国

第1代皇帝
オスマン1世(オスマン＝ベイ)
(在位1299~1326)

領土をバルカン半島に広げ、帝国の領土の基盤をつくり、ブルサを首都に定める

第2代皇帝
オルハン
(在位1326~1359)諸説あり

キリスト教国を征服しアドリアノープルを首都とする。支配地のキリスト教の子弟を徴用してイェニチェリ軍を組織した

第3代皇帝
ムラト1世
(在位1360~1389)

第4代皇帝
バヤジット1世
(在位1389~1402)

ブカレスト
黒海
アドリアノープル
(エディルネ)
コンスタンティノープル
アテネ
地中海

1402年、東からのティムールの攻撃に敗れる

帝国崩壊の危機

オスマン帝国を再建

第6代皇帝
ムラト2世
(在位1421~1451)

1453年 オスマン帝国、コンスタンティノープルを陥落させる

父の代ではできなかった、コンスタンティノープルの攻略を成功させビザンツ帝国を滅ぼした。バルカン、アナトリア半島を征服し帝国を築いた

第7代皇帝
メフメト2世
(在位1451~1481)

1538年 プレヴェザの海戦でキリスト教連合海軍に勝利

炎上する連合海軍船

スレイマン1世は大軍でヨーロッパを攻め、一時ウィーンを包囲した。その後、地中海の海戦に勝利し、オスマン帝国はこの時代最盛期を迎える

第10代皇帝
スレイマン1世
(在位1520~1566)

オスマン帝国が発展した理由

イスラム国家としてすでにイスラム法があり、国家体制づくりが容易だった
トルコ人以外の他民族、他宗教に寛大であり、優秀な人材を積極的に登用し、高度な軍事、行政組織をつくった
建国から優秀な皇帝が続いて即位した

最強の常備軍イェニチェリ

国家の軍隊が傭兵だった時代に、オスマン帝国皇帝直属の常備軍として編成された軍事組織。最新鋭の火砲で武装し、厳しい規律を課された

イェニチェリが帝国腐敗の要因になった

イェニチェリが、自らのもつ税金や免税の特権を既得権益化し、社会の近代化を阻む保守勢力として政府と対立し、その運営を妨害することになった

１世の時代。西アジアから東ヨーロッパ、北アフリカにまで領土を広げ、1529年にはハプスブルク家の拠点ウィーンを一時包囲し、宗教改革で混乱するヨーロッパに衝撃を与えます。さらに1538年には、プレヴェザの海戦でヨーロッパの連合海軍に勝利し、地中海の制海権を握るまでになりました。

ヨーロッパ勢の進出により弱体化

巨大帝国の繁栄に陰りが見え始めたのは、17世紀後半のこと。再度のウィーン包囲に失敗し、バルカン半島の領土も失います。1798年、ナポレオン率いるフランス軍がエジプトに侵攻すると、これが引き金になって、エジプトはオスマン帝国からの独立を宣言。弱体化した帝国に、北方からはロシア、オーストリア、西方からはフランス、イギリス、イタリアなどが襲いかかり、次々に領土が奪われていきました。

とどめを刺したのは第一次世界大戦です。ドイツと組んだオスマン帝国は敗れ、1922年、ついに滅亡したのでした。

1683年
オスマン帝国は再びウィーンを包囲 しかし、キリスト教連合軍に敗北

15万の大軍でウィーンを包囲するも、堅城に手こずり長期戦となり、ポーランドなどの援軍の攻撃に敗走した

1798年
ナポレオンがエジプトに遠征 オスマン帝国は弱体化する

オスマン帝国はナポレオン率いるフランス軍を阻止できず、援軍も帝国に逆らい独立を宣言。オスマン帝国の弱体化が露呈し、周辺国の反撃にさらされることとなる

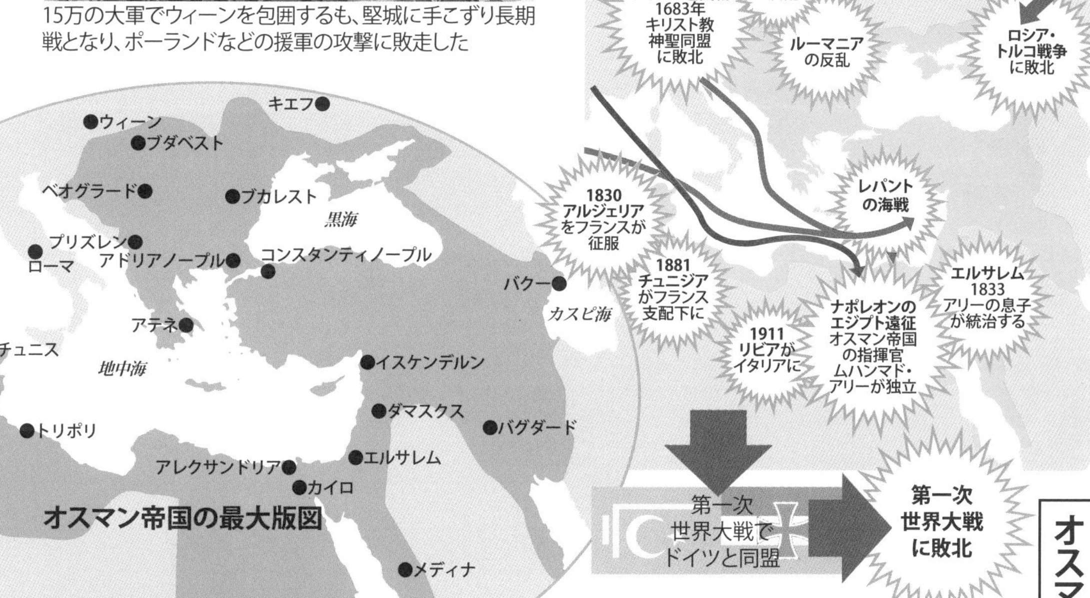

第一次世界大戦でドイツと同盟

第一次世界大戦に敗北

オスマン帝国衰退の原因は

帝国を支えた軍事体制・官僚制度により皇帝(スルタン)の威光が失われていった
その軍事体制・官僚体制が既得権益化および世襲化し腐敗していった
度重なる軍事遠征による国家財政の弱体化
財政難による重税への民衆の反乱
社会の制度的保守化による教育制度の遅れ
科学技術の停滞と、ヨーロッパとの格差

初代トルコ大統領アタチュルク

帝国のトルコ領でアタチュルクを中心とした改革派の軍人のクーデターが起き、軍事政権が誕生。イスラム法を破棄し、西洋的世俗法による国民国家が誕生した

オスマン帝国消滅する

イスラム世界は解体され ヨーロッパの植民地に

西欧にのみこまれるイスラム世界

1000年にわたったイスラム世界の繁栄を覆したのは、キリスト教圏のヨーロッパ列強でした。1858年、ムガル帝国はイギリスに滅ぼされ、イギリスの植民地に。東南アジアのイスラム諸王国も、オランダやイギリスの手に落ちます。

そして1914年、第一次世界大戦が勃発。帝国化したイギリス、フランス、ロシアを中心とする連合国と、それに対抗するドイツ、オスマン帝国などの同盟国がぶつかります。

イギリスはオスマン帝国を内部から崩壊させるために、アラブの指導者フセインに

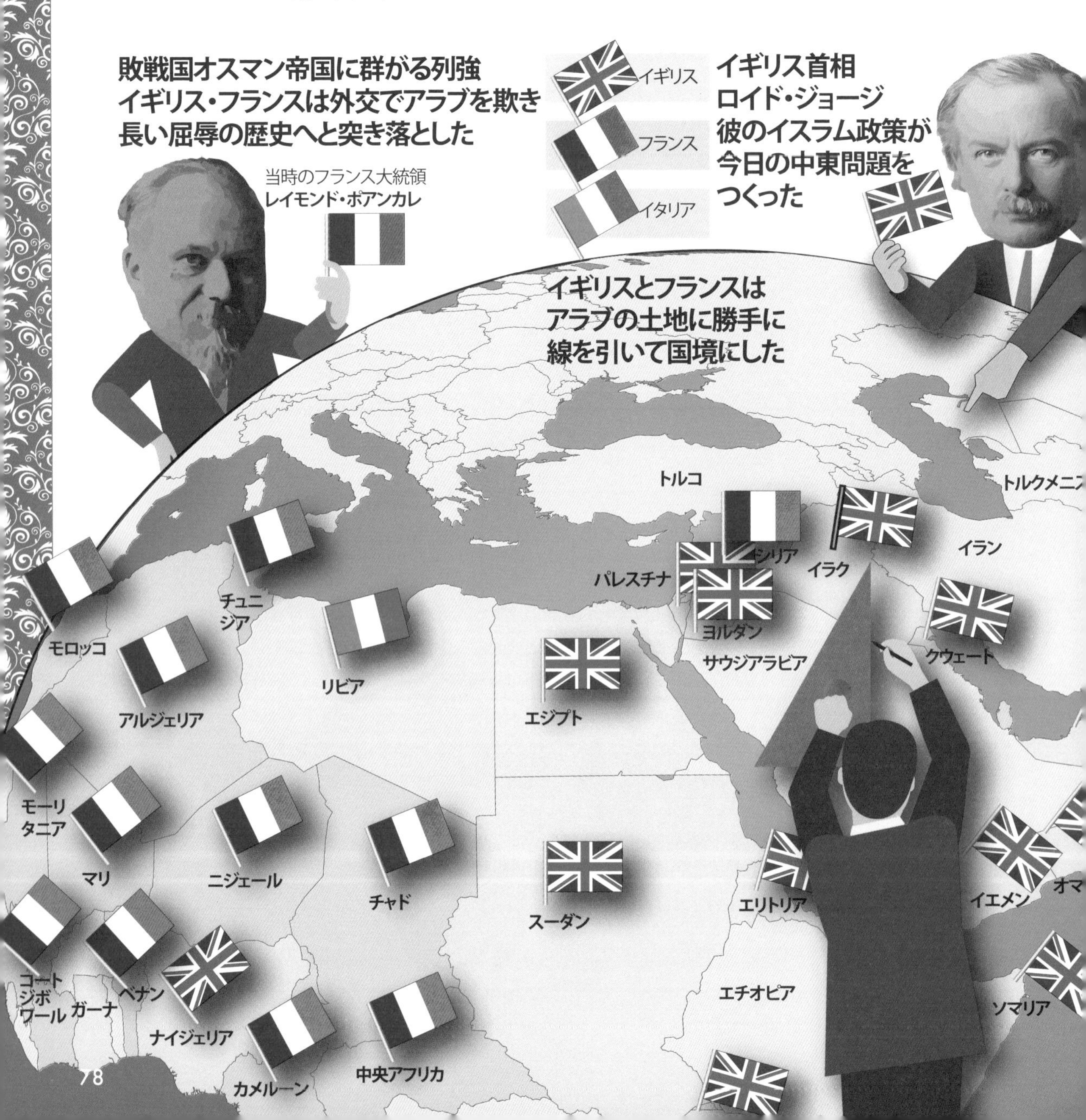

反乱を起こすようもちかけ、その見返りとしてアラブ民族の独立国家建設を約束。この「フセイン・マクマホン協定」に従って、フセインはアラブの反乱を起こします。このとき反乱を指揮したのが、映画『アラビアのロレンス』で知られるイギリスの情報将校ロレンス中佐でした。

イギリスの三枚舌外交

しかし、アラブ独立を夢見たフセインは、驚愕の事実を知ります。イギリスはフランスとは「サイクス・ピコ協定」を結び、中東の分割を約束。ユダヤ人には、パレスチナにユダヤ国家建設を認める「バルフォア宣言」を出し、ユダヤ系資本家ロスチャイルドの支援を得ようとしていました。イギリスは矛盾する約束を三者と交わしていたのです。

第一次世界大戦は、同盟国の敗戦に終わり、オスマン帝国は崩壊。その領土はイギリスとフランスに分割され、パレスチナは国際管理地域とされました。これが中東に新たな火種をつくることになります。

バルフォアの外交は当時においても**三枚舌外交**と批判された

イギリス外交担当だった外務大臣
アーサー・ジェームズ・バルフォア

中東の石油権利は私が押さえます

イギリス後継者チャーチル

サイクス・ピコ協定（1916年）
イギリスとフランスで中東を山分けしよう

この2国は、ヨルダン、イラクはイギリスが、シリア、レバノンはフランスが領有・管理し、パレスチナは国際管理下におく案を勝手につくっていた。

英サイクス（左）と仏ジョルジュ＝ピコが調印

サイクス・ピコ協定によって、中東はこう分割された

フランスが領有する「ブルーゾーン」
トルコ
メルシン
フランスが管理する「ゾーンA」
アレッポ
キルクーク
地中海
レバノン
シリア
イギリスが自分に割り当てた「レッドゾーン」
ダマスクス
バグダード
パレスチナ
エルサレム
アンマン
イラク
ティグリス川
ユーフラテス川
国際管理地域
イギリスが管理する「ゾーンB」
クウェート
ペルシア湾
エジプト
アラビア
アフガニスタン
パキスタン

アラブ人の国家建国を約束したフセイン・マクマホン協定（1915年）

ヘンリー・マクマホン

オスマン帝国と戦ってくれたら、自分たちの国ができるぞ

フセイン・イブン・アリー

アラブの有力者フセイン・イブン・アリーに対して、駐エジプト高等弁務官のマクマホンが、オスマン帝国に対してアラブ人が反乱を起こし、戦争に勝利すればアラブの独自国家を建国すると約束した

イギリスはこんな約束をしたのに

映画で有名な「アラビアのロレンス」ことトーマス・エドワード・ロレンスはこの工作のために派遣されていた

バルフォア宣言（1917年）
お金を出せば、ユダヤ人国家建設が可能に

ライオネル・ウォルター・ロスチャイルド

第一次世界大戦の戦費が苦しいイギリスは、国際金融の雄ロスチャイルドに、終戦後のパレスチナでのユダヤ人国家建設を支持する書簡を出して、戦費の調達を依頼した。この書簡によりユダヤ人コミュニティはパレスチナ地区での建国が可能と考えた

このイギリスの不道徳な外交は、多くの矛盾と非合理をアラブ世界に押し付け、現在も続く中東問題の火種をつくった

キリスト教とユダヤ教の確執がパレスチナに戦争を持ちこんだ

迫害されたユダヤ人がパレスチナへ

聖地エルサレムのあるパレスチナは、旧約聖書で神がユダヤ人に与えたとされる地。しかしローマ帝国の支配下にあった2世紀前半、ユダヤ人は礼拝の強制や重税に苦しみ、さらに反乱失敗後にパレスチナを追われ、世界に散っていきました。キリスト教圏のヨーロッパでは、ユダヤ人はイエスを殺した民として差別と迫害を受け続けました。

このように現代のパレスチナ問題の根は、ユダヤ人とアラブ人（イスラム教徒）の歴史的争いではなかったのです。ところが、19世紀末、ユダヤの誇りを取り戻し、

パレスチナ問題とは、欧米のキリスト教徒が抱える問題であることを知る

問題の1
欧州キリスト教徒のユダヤ人差別

ユダヤ人は、キリスト教徒にとって、イエス殺しの民、イエスの神性を認めない民として憎まれ、中世、近世を通して差別・迫害を受け続けた

問題の2
シオニズム運動の勃興

シオニズム思想の提唱者 **ナータン・ビルンバウム**　ユダヤ人の民族的自覚と、パレスチナ（シオン）への帰還と民族の再生を説き、シオニズムの先駆者となる

シオニズム運動のリーダー **テオドール・ヘルツル**　シオニズム運動の典拠となる『ユダヤ国家』を著し、ユダヤ国家建設を神聖な目的とした

問題の3
第一次世界大戦とイギリスの三枚舌外交

(p79参照)

オスマン帝国
宗教に寛容なオスマン帝国時代、パレスチナではイスラム教、ユダヤ教、キリスト教は共存していた

オスマン帝国滅亡

ユダヤ人の移住始まる

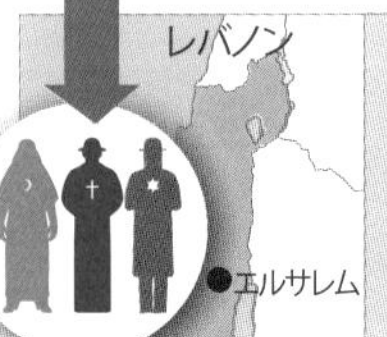

パレスチナ人の多くは、アラブ人の土地の小作人だった

1882年から第一次移住3万人程度

1904年から第二次移住4万人程度

アラブ人の不在地主からパレスチナの土地を購入

パレスチナはイギリスが管理

ユダヤ移民が大量に移住

移民の自衛組織が生まれる

パレスチナ人が土地を追われる　**その数6万人**

難民が増加し続ける

パレスチナに帰ろうと訴えるシオニズム運動が起こります。オスマン帝国領だったパレスチナに、ユダヤ人が続々と移住。これを後押ししたのが、ユダヤ国家建設を約束したイギリスのバルフォア宣言でした。

ポグロム（集団暴力行為）が激化するとロシアから、ナチス政権が誕生するとドイツから、迫害を逃れて無数のユダヤ人がパレスチナに入植。先住のパレスチナ人（アラブ人）は土地を追われ、難民化していきました。皮肉なことに、キリスト教徒の迫害によって追われたユダヤ教徒が、今度はイスラム教徒を追い出すことになったのです。

オスマン帝国崩壊後に英仏の統治下に置かれたアラブ諸国は、その後、次々に独立を果たしますが、パレスチナはイギリスの管理を経て国連の手に委ねられました。

1947年、国連はパレスチナ分割案を決議し、翌年、ユダヤ国家イスラエルが独立を宣言。しかし、パレスチナ人の意志を無視した一方的な独立は、アラブ諸国の反発を招き、中東戦争になだれこむことになります。

イスラエルを支援する欧米にアラブ諸国は石油で戦いを挑んだ

欧米資本に中東産油国が反撃

1948年5月14日、イスラエルが独立を宣言すると、それを認めないアラブ諸国は即日イスラエルに進撃。ここから4度にわたる中東戦争が始まりました。

第1次中東戦争では、欧米の支援を受けたイスラエルが圧勝。70万人以上のパレスチナ人が土地を追われて難民化しました。これがパレスチナ難民の始まりです。その後もイスラエルは領土を拡大し続けました。

中東戦争は、実質的にはアラブ諸国と欧米諸国の戦いでもありました。武力では劣勢だったアラブ諸国の切り札は石油でした。

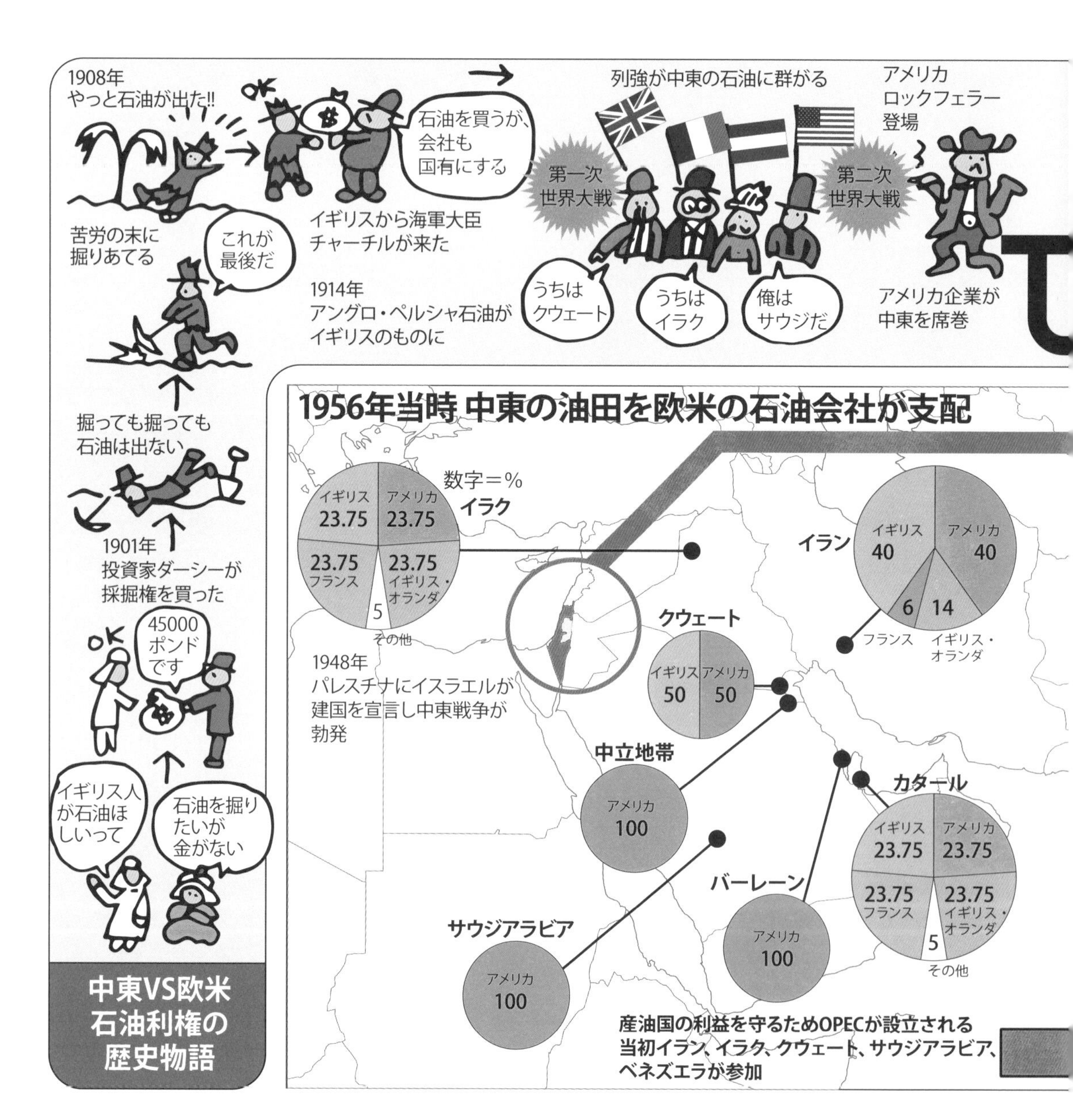

石油という新しい資源が各地で発掘されるようになったのは19世紀中頃のこと。中東の油田に目をつけた欧米の石油会社は、石油利権を手に入れて巨大資本を築きます。これに不満をもった中東産油国は、1960年にOPEC（石油輸出国機構）を設立。アラブ諸国は石油という武器で戦い始めます。

1973年、第4次中東戦争に際し、OPECは原油価格を70％値上げ。さらにアラブ石油輸出国機構が、イスラエル支援国への石油輸出禁止を宣言。この第1次石油危機によって世界経済は大混乱に陥りました。

1979年にはイランで革命が起こり、欧米寄りの政権が倒され、原油輸出が停止。原油不足による価格高騰で第2次石油危機が起こり、中東産油国は巨額の富を獲得します。

イラン革命は、イスラムの原点に帰ることを掲げたイスラム原理主義による革命でした。1979年にソ連がアフガニスタンに侵攻すると、原理主義に共鳴する若者たちが国境を越えて集まり、そのなかから過激な武装勢力が生まれることになります。

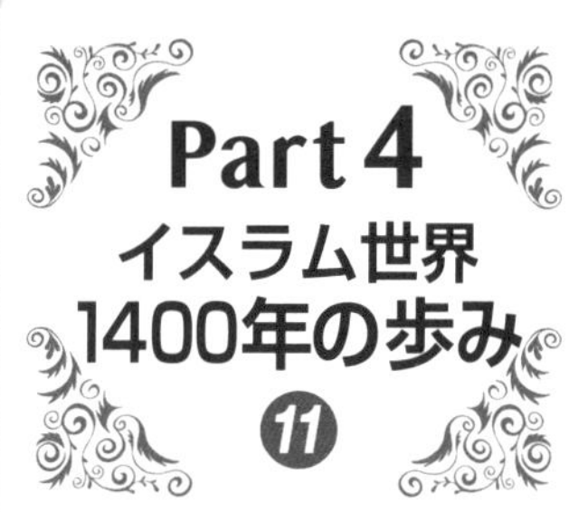

西欧社会との対立のなかで混迷するイスラム社会

西欧化を脱してイスラム復興へ

2001年９月11日、アメリカで同時多発テロ事件が発生。犯行は、ビン・ラーディン率いるイスラム原理主義武装組織アル・カーイダによるものでした。アメリカはテロとの戦いを宣言し、イラクが大量破壊兵器を隠しもっていると疑い、2003年に一方的にイラク戦争を始めます（結局、大量破壊兵器は発見されず）。反米意識を募らせたイスラムの過激派組織が各地で台頭。過激派による相次ぐテロ行為は、イスラム教のイメージを著しく低下させました。

過激派が生まれる背景には、イスラム社

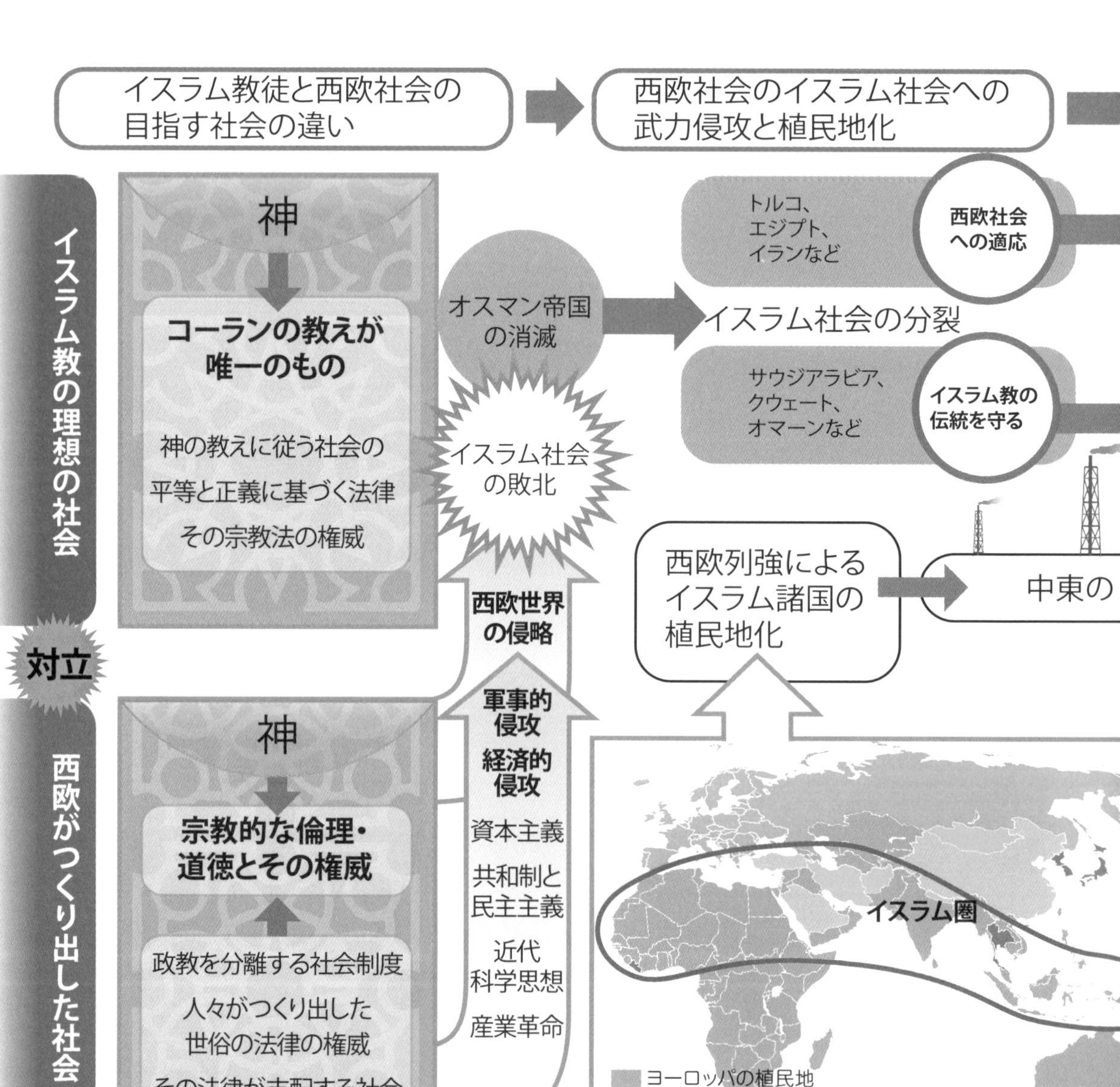

会と西欧社会の対立がありました。輝かしい発展を遂げてきたイスラム世界は、急速な近代化によって一躍世界の覇者となった西欧諸国に、いともあっさりと解体されてしまいました。コーランの教えに従い、伝統的な暮らしを守るイスラム社会は後進的とみなされ、イスラム教国のなかにも西欧的な近代化を目指す国々が現れます。

これに反発して興ったのが、イスラムの原点に戻ろうとするイスラム復興運動であり、イスラム原理主義でした。イスラム原理主義の母体となったムスリム同胞団は、同胞の助け合いの精神に基づくイスラム社会を取り戻すことを本来の目的としていました。しかしそこから逸脱して、極端な反西欧思想をもつ過激派組織が生まれたのです。

テロや暴力に走るのは、一部の人々であり、ほとんどのイスラム教徒は、イスラムの価値観を守りながら、西欧社会と協調する道を模索しています。西欧社会もまた、確実に増えゆくイスラム教徒とどう向き合うべきか、今後の政策を問われています。

イスラム教の復興と社会改革運動の勃興

稳健なイスラム教の拡大と反西欧闘争の先鋭化

イギリスに支配されたエジプトで、イスラム精神の復興を唱え、大衆への奉仕活動を展開する

ムスリム同胞団運動の展開

ムスリム同胞団創設者
ハサン・バンナー

イスラム教以外を悪とする急進的反西欧思想の誕生

エジプトのイスラム思想家
サイイド・クトゥブ

穏健なイスラム社会

世界に拡大し続けるイスラム世界

中東産油国の結束

オイルマネーのイスラム産油国への流入

石油利権

西欧との対決

OPEC結成

イランパフレヴィー朝

イラン革命

イランは反西欧・イスラム復興の中心勢力に

アル・カーイダ結成

湾岸戦争

イラク戦争

同時多発テロ事件

ハマス
2023年
パレスチナ・イスラエル戦争

イスラエル建国
パレスチナ問題勃発

中東戦争
ヨルダン
レバノン
シリア
イラン
エジプト
パレスチナ
VS
イスラエル
イギリス
フランス
アメリカ

西欧石油メジャーの独占体制の解体

アメリカ資本の進出と政治介入

アメリカはアル・カーイダに資金援助、イラクを攻めた

アメリカの錯誤の中東政策と無知と傲慢による侵攻作戦の失敗

遠い宗教だったイスラム教が日本に伝わり信徒を増やすまで

明治期に始まったイスラム研究

日本で初めてイスラム教を知ったのは、江戸中期の儒学者・政治家、新井白石だったともいわれています。中国での呼称にならい、日本では当初、イスラム教は回々教あるいは回教と呼ばれていました。

本格的なイスラム研究が始まったのは明治時代。1876年には、のちに外務大臣となる林董が『馬哈黙伝』を翻訳出版。1890年には、オスマン帝国の軍艦エルトゥールル号が和歌山県串本町沖合で遭難し、500名以上が犠牲となる大事故が起こります。このとき日本中から集まった義捐金を本国に

新井白石が最初にイスラム教を知る

キリスト教宣教師シドッチを尋問し『西洋紀聞』に記録した

新井白石(1657〜1725)

シドッチの頭蓋骨の復元図

記録に残る最初の記述は「マアゴメタン、これ也。そのマアゴメタンは、モンゴルの教にて、これ漢の回回の教といふもの、或いは是也……」

シドッチの復元図は「キリシタン文化研究29冊・教文館」表紙より

外交官林董が「マホメット伝」を翻訳した

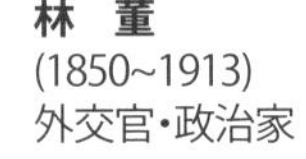

林　董
(1850~1913)
外交官・政治家

日本最初のイスラム教関連の書籍は、外交官の林董(ただす)が、1697年にイギリスで出版されたハンフリー・ブリドウ著の『The Life of Mahomet』を翻訳出版した『マホメット伝』

渡欧時にミルの『経済論』ベンサムの『刑法論綱』などを翻訳。外交官として日清戦争後の三国干渉の対応、日英同盟の調印などで中心的役割を果たした

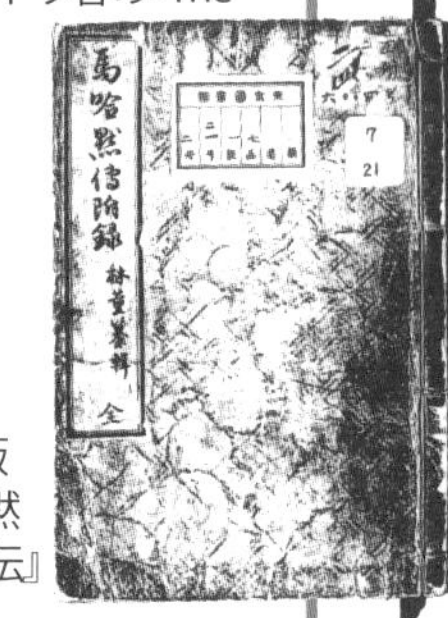

1876年に出版された『馬哈黙(マホメット)伝』

オスマン帝国軍艦事故が結んだ日本とトルコの絆

エルトゥールル号とその乗組員

座礁した船から乗務員を救出する串本の漁民

エルトゥールル号が串本沖で遭難する

1890年9月16日、オスマン帝国政府の軍艦が和歌山県串本町の沖合で台風に遭遇、海岸に座礁遭難した。同艦はトルコのアブデュル・ハミト2世から天皇への勲章奉呈のために来日した。串本の地元漁師の努力により69名が救助され、587名が殉職した

野田正太郎
(1868~1904)
「時事新報社」記者

トルコに義損金を届けた新聞記者は、最初のイスラム教徒になった

「時事新報社」で集めたエルトゥールル号遭難義損金を直接届けるために、特派員としてトルコに渡った。請われて以後2年間、現地で日本語教師を務め、イスラム教に改宗。日本人で初めてイスラム教徒になった

山田寅次郎
(1866~1957)
茶道家元、実業家

実業家として最初にトルコで商業を営み、「民間外交」でトルコと関わる

1894年、エルトゥールル号遭難義損金を個人で集めてトルコに届ける。同国の皇帝に請われて、日本商品の商店を開店。国交のないトルコと日本との関係構築に尽力。その評伝が『明治の快男児トルコへ跳ぶ』

届けた新聞記者、野田正太郎は、現地で改宗して日本人初のムスリムとなりました。

20世紀になると、軍国化を強める日本は、アジア政策の一環としてイスラムの調査研究を推進。山岡光太郎、田中逸平など、メッカ巡礼を果たす日本人も現れます。日本に住む外国人ムスリムも増え、1930年代には神戸や東京にモスクが建設されました。

身近になりつつあるムスリム

国主導のイスラム政策は、日本の敗戦によって終止符が打たれます。一般の日本人からは遠い存在であり続けてきたイスラム教ですが、状況が一変したのは、イスラム圏からの労働者が急増した1980年代以降のこと。日本に定住して家族をもつムスリムも増え、いまでは外国人・日本人合わせて信者数約23万人と推定されています。

ムスリムが身近になりつつあるいま、ともに暮らす隣人として、誤解されがちなイスラム社会を正しく理解することが、私たちに求められています。

日本はアジア政策として、イスラム教社会を研究する

山岡光太郎
(1880~1959)
旅行家、
イスラム研究家

東京外語大学ロシア語一期生。1909年、参謀本部の要請でイスラム世界への旅に出る。同年12月、日本人として初めてメッカ巡礼者となる。アラビア国王に謁見し、アラブ世界の知遇を得る。以後、世界を旅しイスラム研究の多くの著作を残す

山岡光太郎の著書
『回々教の神秘的威力』
(1921年・新光社刊)

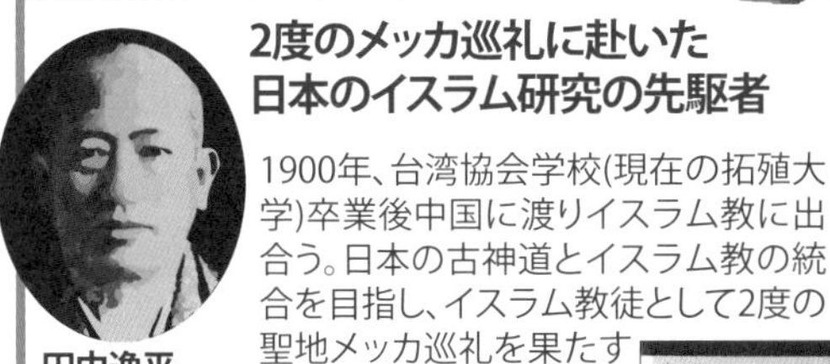

2度のメッカ巡礼に赴いた日本のイスラム研究の先駆者

1900年、台湾協会学校(現在の拓殖大学)卒業後中国に渡りイスラム教に出合う。日本の古神道とイスラム教の統合を目指し、イスラム教徒として2度の聖地メッカ巡礼を果たす

田中逸平
(1882~1934)
大東文化学院
講師
宗教思想家
写真は拓大
人物図鑑より

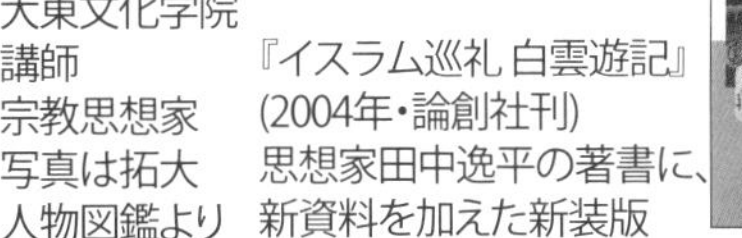

『イスラム巡礼 白雲遊記』
(2004年・論創社刊)
思想家田中逸平の著書に、新資料を加えた新装版

マレーで活躍した日本人ハリマオ

谷 豊
(1911-1942)
福岡県出身

マレーに一家で移住し、イスラム教徒に。華僑の暴徒に妹を殺されてから、盗賊に転じ暴れまわる。日本軍に請われてイギリスへの抵抗運動を指揮し「ハリマオ(マレー語で虎)」と呼ばれ、英雄となる

1930年代、イスラム教が認知されモスクも建築された

神戸モスク

1935年、神戸に住むトルコ・タタール・インドなどのイスラム教徒によって神戸モスクが建設された。8月2日に最初の金曜礼拝が行われた

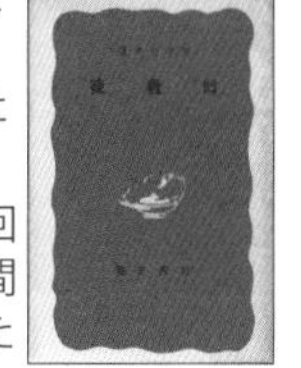

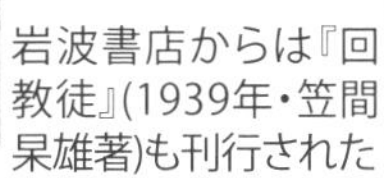

岩波書店からは『回教徒』(1939年・笠間杲雄著)も刊行された

1952年 日本ムスリム協会設立

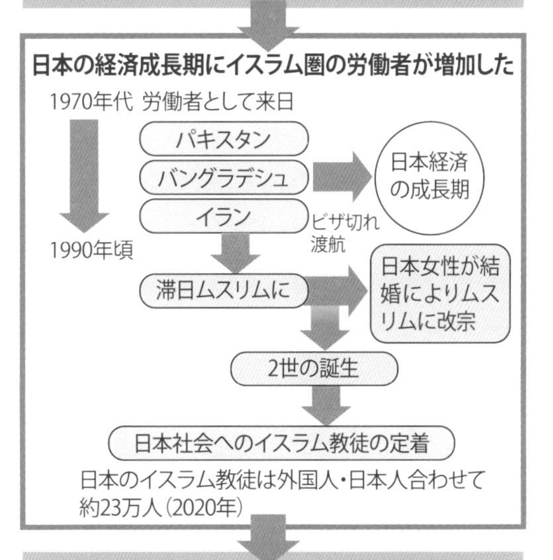

日本と、膨大な人口を擁する世界のイスラム社会は、今後どのような関わりを必要とし、相互の利益へとつながるのだろうか

世界を俯瞰して理解するために一筆描きの地図を描こう

山折哲雄（宗教学者）

私たちは、世界史の全体像をつかむために、よく地図を使います。それは「メルカトル図法」と呼ばれ、丸い地球儀に描かれた世界を二次元の平面に投影した世界地図です。この二次元の地図のほうが、例えば宇宙から送られてくる地球の映像や、スマートフォンの小さな細切れの画面を見るよりも、はるかに明確な世界のイメージをつかむことができます。

本シリーズ「14 歳から知る世界の宗教と文化」も、4 冊目のイスラム教を刊行しました。今回はこのシリーズの内容をより深く理解するために、地図のもつ力を使う方法を試みてみましょう。

まず一枚の画用紙と一本の鉛筆を用意します。そして用紙の左上から地球上の陸地と海洋を切り分けるように一本の線を刻み入れていきます。スカンジナビア半島からスタートして、イベリア半島から地中海をぐるりと回り、アフリカの最南端ケープタウンから紅海、ペルシア湾、インド洋の海岸線を鉛筆でなぞり、中国大陸をたどり、さらにアラスカ、カナダを経てアメリカ大陸、南米の突端を回って大西洋に。あとは、大平洋に散在するニュージーランド諸島や大西洋のカリブ海域の島々を描き、最後にブリテン島と日本を浮き彫りにします。

これで一筆描きの世界地図の輪郭ができあがりました。

準備作業ができた段階で、次に、古代からよく栄えた有名な都市や港を地図の上に探し、赤点の記号を入れましょう。

バビロン、アテネ、エルサレム、ローマ、アレクサンドリア、サマルカンド、ガンダーラ、長安、広州、メッカ、コンスタンティノープル、パリ、ウィーン、ロンドン、モスクワ、シンガポール、北京、それに長崎や神戸、そして広島、さらに京都や東京も加えましょう。そしてニューヨークやパナマなども……。

赤点記号をつけていくうちに、この場所が世界史において、人間たちが移動し、都市をつくり、経済活動を営み、その結果、芸術・文化が花開いた場所であることを知ります。また同時にこの場所は、帝国や王朝が興廃を繰り返し、侵略や虐殺、破壊や衰亡の生々しい傷跡が残る現場でもあります。そこには戦争の傷跡も露呈します。

アテネとスパルタの戦争、ローマ帝国とユダヤの戦争、十字軍とイスラムの戦争、オスマン帝国とウィーンの戦い、そして第一次・第二次世界大戦、ベトナム戦争、湾岸戦争、そして現在のパレスチナ・イスラエル戦争……。数限りない戦いの傷跡です。

もうひとつ、この一筆描き地図にはどうしても欠かすことのできない点検作業が残っています。

それは一神教地域と多神教地域の勢力分布を、色鉛筆を使って描き分けるという仕事です。

もちろんこれは容易なことではありません。このふたつの地域が隣り合う場合もあれば、重なり合う場合もあります。それが全体的な重なり合いか、部分の重なりか、という違いもありますし、重なりが同化の結果か、侵略・征服の結果か、という違いもあります。しかし、その困難な仕事を進めていくうちに、それぞれの地域の平和の度合い、紛争の度合いがしだいに明らかになってきます。

現在から5000年前、1万年前、この地球に一神教はまだ存在していません。ほとんどの地域は多神教や精霊信仰で覆われていました。一神教の出現は、せいぜいここ2000年ほどのことです。そのことをあらかじめ念頭に置いておけば、点検作業もそんなに難しくはないでしょう。

歴史上の一神教のトップランナーは、ユダヤ教・キリスト教でした。それに続く一神教のライバルランナーがイスラム教です。この勢力は誕生以来、世界にみるみる拡大します。

アラビア・イスラム
中近東・イスラム
モンゴル・イスラム
中国・インド・イスラム
東南アジア・イスラム

このイスラム教世界が、先行するキリスト教世界との間で共存、抗争、紛争、そして戦争を繰り返す世紀がやってきました。グローバル・サウス、グローバル・ノースなどの、地理上の条件が生み出す、矛盾に満ちた対立抗争が世界に深い傷跡を残し、この傷跡に民族と宗教の動向が絡みあって、危機的な対立をさらに煽りたてています。

私たちは、このように、いくつもの要素が絡みあい、対立と融合が渦巻くように描かれた地図の上を、いったいどこに向かって歩いていったらよいのでしょうか。

この困難な時代に、本書を読まれる若い皆さんに、私はこう言いたいのです。

いまや葉っぱのような片々たるスマートフォンの画面を振り捨てて「一本の鉛筆」をこの掌に握り、この乱れに乱れた世界を眼下に見下ろして、そこに展開している人間が生み出した多様な宗教と文化の点検作業をしてほしいのです。その作業に本シリーズが力になることを願っているのです。

きっと、それまで見えてこなかった、古くて新しい、人間の英知が、この地図の上に姿を現してくるでしょう。

おわりに

苦行のはずの断食を楽しみに変えるイスラム教のマジック

私たち日本人は、イスラム教についてじつにたくさんの誤解をしてきました。本書の制作を終えて、改めてそう痛感しています。

イスラム教は、信徒に1日に5回もの礼拝を命ずるなど、戒律の厳しい宗教だと思われています。ところが、そんな厳しい戒律をもつイスラム教が、世界で最も信者を増やし、今世紀の終わりにはキリスト教を抜いて世界最大の宗教になるというのです。なぜでしょう?

その秘密を解くことから、本書の制作は始まりました。イスラム教について学ぶ過程で最も興味深かったのは、過酷と思えるラマダンの断食について、女性たちが「1年間で最も楽しいイベント」と発言していたことでした。断食が楽しいとは、にわかには信じられません。そこで、ラマダン中のモスクを訪ねてみることにしました。

東京・代々木上原の東京ジャーミイ。モスクに併設されたホールには、人種もさまざまな老若男女の長蛇の列。日没後の礼拝が終わり、モスクが提供する夕食をみんなでいただく食事会（イフタール）が始まろうとしていました。子どもたちは大はしゃぎであたりを駆け回り、お母さんに注意されています。その隣の列では、ひげ面の青年たちが愉快におしゃべりをしています。みんなの顔には微笑みがあり、その手には給食用のプレートが握られています。

行列の先では、黒い帽子をかぶった屈強な男性シェフが、差し出されたプレートに温かい食事を提供。その夜のメニューは、トマトソースのマカロニ、牛肉のパテなど4品、なかなかのごちそうです。

この夕食のプレートを手に、人々はホールのテーブルへ。満杯のホールで、みんな家族や友人と一緒に、見知らぬ人と隣り合わせでおしゃべりしながら、食事を楽しんでいます。みんな1日の断食を終えたイスラム教徒の仲間たち、そんな連帯感に溢れた光景です。

つらいはずの断食行でありながら、ここには逆に食の楽しみがありました。イフタールの食費は、すべて寄付でまかなわれるため、お金のある人もない人も、平等に同じ夕食を楽しめます。そして、世界中の仲間たちと一緒に、1カ月の断食をやり遂げることで、イスラム教徒としての帰属意識も高まるのです。

厳しい戒律だけで、多くの人が信徒になるはずがありません。日々の戒律が楽しみになる、イスラム教にはそんなマジックがある。ラマダンの夕べを体験しながら、そんなことを思ったのでした。

参考文献

『世界の名著 15 コーラン』（藤本勝次責任編集、中央公論社刊）
『イラスト図解 イスラム世界』（私市正年監修、日東書院刊）
『世界史リブレット 15 イスラームのとらえ方』（東長靖著、山川出版社刊）
『世界史リブレット 60 サハラが結ぶ南北交流』（私市正年著、山川出版社刊）
『世界史リブレット 73 地中海世界の都市と住居』（陣内秀信著、山川出版社刊）
『イスラーム文化』（井筒俊彦著、岩波書店刊）
『イスラム聖者――奇跡・予言・癒しの世界』（私市正年著、講談社刊）
『イスラーム 知の営み』（佐藤次高著、山川出版社刊）
『ムハンマドの生涯』（アンヌ＝マリ・デルカンブル著、後藤明監修、創元社刊）
『原理主義の潮流 ムスリム同胞団』（横田貴之著、山川出版社刊）
『「アラブの春」の正体』（重信メイ著、角川書店刊）
『慈悲深き神の食卓 イスラムを「食」からみる』（八木久美子著、東京外国語大学出版会刊）
『現代人のためのイスラーム入門』（ガーズィー・ビン・ムハンマド王子著、中央公論社刊）
『イスラームを知ろう』（ファハド・サーリム・バーハムマーム著、Modern Guide 刊）
『イスラーム』（蒲生礼一著、岩波書店刊）
『図説 イスラム教の歴史』（菊池達也編著、河出書房新社刊）
『イスラムがわかる！』（菊池達也監修、成美堂出版刊）
『イスラームを読む――クルアーンと生きるムスリムたち』（小杉泰著、大修館書店刊）
『ムハンマドのことば――ハディース』（小杉泰編訳、岩波書店刊）
『イスラム巡礼 白雲遊記』（田中逸平著、論創社刊）
『明治の快男児トルコへ跳ぶ 山田寅次郎伝』（山田邦紀、坂本俊夫著、現代書館刊）
『神戸モスク 建築と街と人』（宇高雄志著、東方出版刊）
『サトコとナダ１～４』（ユペチカ著、西森マリー監修、星海社刊）
『山川世界史総合図録』（成瀬治ほか監修、山川出版社刊）
『世界宗教事典』（村上重良著、講談社刊）
『State of the Global Islamic Economy Report 2023/24』
（by DinarStandard with the support of Dubai's Department of Economy and Tourism）

参考サイト

ピュー・リサーチセンター ● https://www.pewresearch.org
滞日ムスリム調査プロジェクト「日本のムスリム人口推計」
● https://www.imemgs.com/muslim-population-estimation/510/
Salaam Gateway ● https://salaamgateway.com
宗教法人神戸ムスリムモスク ● https://www.kobemosque.com
東京ジャーミイ・ディヤーナト トルコ文化センター ● https://tokyocamii.org/ja
宗教法人日本ムスリム協会 ● https://www.muslim.or.jp
出入国在留管理庁 ● https://www.moj.go.jp/isa/index.html
日本政府観光局　日本の観光統計データ ● https://statistics.jnto.go.jp
グローバルノート ● https://www.globalnote.jp
NPO 法人日本ハラール協会 ● https://jhalal.com
Al-feqh ● https://www.al-feqh.com/ja
世界保健機構 (WHO) ● https://www.who.int
世界銀行 ● https://www.worldbank.org/en/home
インドネシア総合研究所 ● www.indonesiasoken.com
千葉イスラーム文化センター（CICC）● http://www.cicc-japan.com
イスラーム世界研究（京都大学大学院ジア・アフリカ地域研究研究科）
● https://repository.kulib.kyoto-u.ac.jp/dspace/handle/2433/70836
J-STAGE ● https://www.jstage.jst.go.jp/browse/-char/ja
Turkish Culture Club ● https://worldclub.jp/turkish/ramadan
HUFFPOST ● https://www.huffingtonpost.jp
Qalawun VR Project ● https://qalawun.aa-ken.jp
SANDY KURT ● https://sandykurt.com
The Halal Planet ● https://www.thehalalplanet.com

索引

あ

か

さ

※印は社会応援ネットワーク著

**『図解でわかる
14歳からの 地政学』**
シフトチェンジする旧大国、揺らぐEUと中東、そして動き出したアジアの時代。これからの世界で不可欠な「平和のための地政学的思考」の基礎から最前線までをこの１冊に！
鍛治俊樹・監修　定価(本体1500円＋税)

**『図解でわかる
14歳からの 宇宙活動計画』**
旅する、はたらく、暮らす、知る…。宇宙はどんどん身近になる。2100年までの宇宙プロジェクトはもう動き出している。その時、きみはどこにいる？
定価(本体1500円＋税)

**『図解でわかる
14歳からの 自然災害と防災』※**
「こんな時はどうしたらいい？」日頃の備えから被災時の対応の仕方まで、中高生からリクエストの多かった質問、身近で素朴な疑問に専門家がこたえます。防災を自分事として考えてみよう!
諏訪清二・監修　定価(本体1500円＋税)

**『図解でわかる
14歳から考える 民主主義』**
民主主義の危機って、どういうこと？　民主主義の基礎から、ITとAIによるデジタル直接民主主義まで。これからの世代のための、民主主義の作り直し方。
定価(本体1500円＋税)

**『図解でわかる
14歳からの ストレスと心のケア』※**
悲しいニュースをみると胸が苦しくなる…。スマホが近くにないと不安…。家族、友だち関係、いじめ、トラウマ、鬱…、さまざまなストレスに向き合い、解決に導く１冊！
冨永良喜・監修　定価(本体1500円＋税)

**『図解でわかる
14歳からの 金融リテラシー』※**
円高や円安ってどういうこと？　NISAって何？　将来、何にお金がかかるの？ 基礎的な金融用語から、投資の基本知識、お金のトラブル事例や対処法まで、私たちの生活に関わる「お金」の疑問に答え、図解で解説！
定価(本体1,500円＋税)

**『図解でわかる
14歳から知る 裁判員裁判』**
18歳から参加できるようになった裁判員裁判。「法律の専門家ではない私たちだから、できることがある」(周防正行)。裁判の基礎知識からシミュレーションまで。人を裁くことへの向き合い方。
周防正行・序文、四宮啓・監修　定価(本体1500円＋税)

**『図解でわかる
14歳から学ぶ これからの観光』※**
観光×地方創生、観光×SDGs、観光×地域活性化…「観光教育」の決定版！観光は平和へのパスポート。世界中の人々が観光で互いに理解を深め、誤解や差別・偏見をなくしていくことが、平和な社会の実現に。
定価(本体1500円＋税)

**『図解でわかる
14歳からのLGBTQ+』※**
さまざまな性のあり方を知れば、世界はもっと豊かになる。4つの身近なテーマと32の問いで、ジェンダー問題をより深く、より正しく知る。
定価(本体1500円＋税)

**『図解でわかる
14歳から知る ごみゼロ社会』**
SDGsの超基本。ごみの本質を知って暮らしの未来を考え、ゼロ・ウェイスト社会へ。日本にもリサイクル率80%の町がある!!
定価(本体1500円＋税)

**『図解でわかる
14歳から知る 生物多様性』**
気候変動と並ぶSDGsの大問題。私たちの便利な暮らしが生物の大絶滅を引き起こす!? 地球だけがもつ奇跡の多様性を守るために、いま知っておくべきこと。
定価(本体1500円＋税)

世界の宗教と文化シリーズ

**『図解でわかる
14歳から知る 日本人の宗教と文化』**
日本人の7割以上が無宗教?! それは、大きな誤解。万物に命を感じ、ゆるーく神仏を祀る。縄文から続く日本人の宗教と文化をたどる。
山折哲雄・監修　大角修・共著
定価(本体1500円＋税)

**『図解でわかる
14歳から知る キリスト教』**
世界史を理解するために、世界最大の宗教を知る。世界の3人に1人が信者。国際社会の動向を把握するうえで無視できない存在＝キリスト教。
山折哲雄・監修　定価(本体1500円＋税)

**『図解でわかる
14歳から知る
インド・中国の宗教と文化』**
世界史を創った2大文明の基礎。仏教、ヒンドゥー教、道教、儒教をビジュアルで理解する。現代西欧型文明の混迷から再び見直される、21世紀の東洋の叡智。
山折哲雄・監修　大角修・共著
定価(本体1500円＋税)

宗教シリーズ総監修 **山折 哲雄**（やまおり・てつお）
1931年生まれ。宗教学者。東北大学文学部印度哲学科卒業。同大学文学部助教授、国立歴史民俗博物館教授、国際日本文化研究センター教授、同センター所長などを歴任。著書は『死者と先祖の話』『勿体なや祖師は紙衣の九十年 - 大谷句仏』『「ひとり」の哲学』『空海の企て』『天皇の宮中祭祀と日本人』『天皇と日本人』など多数。

監修 **私市正年**（きさいち・まさとし）
1948年生まれ。上智大学名誉教授。北海道大学文学部史学科（西洋史学専攻）卒業、中央大学大学院（東洋史学専攻）修了。上智大学外国語学部専任講師、同教授、総合グローバル学部教授、アジア文化研究所長などを歴任。著書に『イスラム聖者―奇跡・予言・癒しの世界』『マグリブ中世社会とイスラーム聖者崇拝』『北アフリカ・イスラーム主義運動の歴史』『サハラが結ぶ南北交流』など多数。

著 **インフォビジュアル研究所**
2007年より代表の大嶋賢洋を中心に、ビジュアル・コンテンツを制作・出版。主な作品に『イラスト図解 イスラム世界』（日東書院本社）、『超図解 一番わかりやすいキリスト教入門』（東洋経済新報社）、「図解でわかる」シリーズ『ホモ・サピエンスの秘密』『14歳からのお金の説明書』『14歳からのプラスチックと環境問題』『14歳から考える民主主義』『14歳から知る生物多様性』『14歳から知る裁判員裁判』『14歳から知る日本人の宗教と文化』『14 歳から知るキリスト教』『14歳から知るインド・中国の宗教と文化』（太田出版）などがある。

大嶋賢洋の図解チャンネル
YouTube
https://www.youtube.com/channel/UCHlqINCSUiwz985o6KbAyqw
X（旧 Twitter）
@oshimazukai

企画・構成・図解制作	大嶋 賢洋
本文執筆	豊田 菜穂子
イラスト・図版制作	高田 寛務
イラスト	二都呂 太郎
カバーデザイン	河野 謙
本文デザイン・DTP	玉地 玲子
写真提供	私市正年、イスマーイール上野
取材協力	神戸ムスリムモスク
校正	鷗来堂

図解でわかる
14歳から知る イスラム教

2024 年 5 月 5 日 初版第 1 刷発行

監修　山折 哲雄・私市正年
著者　インフォビジュアル研究所

発行人　森山 裕之
発行所　株式会社太田出版
〒 160-8571 東京都新宿区愛住町 22 第三山田ビル 4 階
Tel.03-3359-6262　Fax.03-3359-0040
http://www.ohtabooks.com
印刷・製本　中央精版印刷株式会社

ISBN 978-4-7783-1921-2 C0030